Manual de actividades to accompany

EXPERIENCE SPANISH

Un mundo sin límites

María J. Amores
West Virginia University

José Luis Suárez García
Colorado State University, Fort Collins

Michael Morris
Northern Illinois University

Contributing Writers:

Mary Goodrich
University of Connecticut

Bethany J. Sanio
University of Nebraska–Lincoln

V1

SPECIAL EDITION FOR

RIO HONDO COLLEGE

Boston Burr Ridge, IL Dubuque, IA New York San Francisco St. Louis
Bangkok Bogotá Caracas Lisbon London Madrid
Mexico City Milan New Delhi Seoul Singapore Sydney Taipei Toronto

The McGraw-Hill Companies

Manual de actividades to accompany Experience Spanish: Un mundo sin límites
V1 Special Edition for Rio Hondo College

8 9 0 KNG KNG 15 14 13

ISBN-13: 978-0-07-757387-4
ISBN-10: 0-07-757387-0
PART OF:
ISBN-13: 978-0-07-757560-1
ISBN-10: 0-07-757560-1

Learning Solutions Manager: Terri Harvey
Production Editor: Jessica Portz
Printer/Binder: King Printing
Cover Photo Credits: © 2011 JupiterImages Corporation

Contents

Preface

The *Manual de actividades* to accompany *Experience Spanish* follows the organization of the textbook and provides you with additional review and practice of vocabulary and grammatical structures. At the end of each **Tema,** you will find a **Síntesis y repaso** section that recycles the vocabulary and grammatical structures learned in that **Tema.** In addition, each chapter includes a **Pronunciación** section to give you tips on spelling and pronunciation of Spanish. The **Palabra escrita: A finalizar** section at the end of each chapter gives you exercises to help you review and complete the writing activity that you began in the **Palabra escrita** section of the textbook.

You will find several types of activities in this workbook:

- **Vocabulary practice activities** allow you to make meaningful associations of new words with previously studied material or with situations that are familiar to you.
- **Mechanical activities** help you to review and practice how a grammar point works in expressing meaning.
- **Open-ended writing activities** allow you to integrate the material you have studied and convert it into meaningful communication in Spanish.
- **Listening activities** (denoted by a headphones icon in the margin) help you to develop the important skill of aural comprehension.
- **Pronunciation and orthography activities** help you isolate problems in your pronunciation and spelling that may impede effective communication with Spanish speakers.
- **Cultural readings** allow you to integrate and consolidate your increasing knowledge about the cultures of the regions where Spanish is spoken.
- The full **Laboratory Audio Program** can be found as part of each chapter of the Online Learning Center at **www.mhhe.com/experiencespanish.**

The following suggestions should help you to use the *Manual de actividades* successfully.

- You will benefit most if you complete the activities in this workbook immediately after the material is presented and practiced in your class. That is, do not wait until the end of the chapter to complete all the exercises!
- Remember that it is more important to know *why* a given answer is correct that just to guess the right one, especially while doing the grammar activities.
- Even if your teacher does not assign all of the exercises, you may wish to complete them for extra practice.
- Try to complete the activities with your textbook closed. One effective way of proceeding is to review the textbook material first, then test your understanding by working in the Manual.
- Most of the answers are given in the Answer Key at the back of the Manual. You may want to highlight the items you were unable to answer correctly. This will help you study and review before chapter tests.

Capítulo preliminar

TEMA: La identidad

Vocabulario del tema

Práctica 1. Hola. University students in the United States greet many different people every day. Look at the drawings and match each one with the letter of the interaction that is most likely occurring.

1. e

2. d

3. c

4. F

5. A

6. b

a. —¡Hasta luego!
—¡Nos vemos!

b. —Buenas tardes, José.

c. —¿Cómo está usted?
—No muy bien.

d. —Me llamo Lisa.
—Mucho gusto.

e. —Buenos días, profesor Martínez.

f. —¿Qué tal, Felicia?
—Bien. ¿Y tú, Jorge?

Práctica 2. Saludos y presentaciones. Complete each dialogue with words from the corresponding list.

Mark y Ángela

cómo	igualmente	nombre
de dónde eres	me llamo	y tú

—Hola.

—Hola. ¿______[1] te llamas?

—______[2] Ángela. ¿Cuál es tu nombre?

—Mi ______[3] es Mark. Mucho gusto.

—______.[4]

—¿______,[5] Ángela?

—Soy de Texas. ¿______[6]?

—Soy de Florida.

Juan y el profesor Peña

buenos días	de nada	gracias	usted

—Buenos días, Juan.

—______,[7] profesor Peña. ¿Cómo está ______[8]?

—Bien, ______.[9] ¿Y usted?

—Muy bien, gracias.

—______.[10]

Práctica 3. Los números. Write out the numbers in the list.

1. 27 ______
2. 9 ______
3. 14 ______
4. 30 ______
5. 16 ______
6. 5 ______
7. 11 ______
8. 22 ______
9. 18 ______
10. 4 ______

Nombre ____________________ Fecha ____________ Clase ____________

Práctica 4. Las matemáticas. Perform the following calculations and spell out the resulting number. Note: + (más), − (menos), = (son).

1. veinte + seis = ____________________
2. diez + cinco = ____________________
3. trece − once = ____________________
4. quince + catorce = ____________________
5. dos + ocho = ____________________
6. diecinueve − dos = ____________________

Práctica 5. ¿Qué número es? Listen to each phrase and write the numeral that you hear.

MODELO: (*you see*) _____ estudiantes
(*you hear*) dos estudiantes
(*you write*) 2

1. _____ clases
2. _____ libros
3. _____ amigos
4. _____ hombres
5. _____ carros
6. _____ mapas
7. _____ diccionario
8. _____ números

Gramática

P.1 Nouns, Articles, Gender, and Number

Práctica 1. ¿Masculino o femenino? Imagine you have been hired to give a tour of the Southwest area of the United States. You will be giving the tour in both English and Spanish.

PASO 1. Give the correct definite article (**el, la, los, las**) for each word that you might need during your tour.

1. _____ montañas
2. _____ ruta
3. _____ museos
4. _____ señora
5. _____ hombre
6. _____ intereses

PASO 2. Now give the correct indefinite article (**un, una, unos, unas**) for these additional words you might need.

7. _____ actor
8. _____ días
9. _____ personas
10. _____ nación
11. _____ problema
12. _____ café

Práctica 2. Singular y plural.

PASO 1. Here is a list of essentials you will need to bring for the members of your tour group. Give the plural of each item, as you will need more than one of these things.

1. el cuaderno ____________
2. el lápiz ____________
3. el papel ____________
4. la silla ____________
5. el dólar ____________

PASO 2. This is the list of essentials you will need to bring for yourself. Give the singular form of the following items, as you only need one of each.

1. las novelas ____________
2. los mapas ____________
3. las sandalias ____________
4. los diccionarios ____________
5. las luces (*lights*) ____________

P.2 Subject Pronouns and the Verb **ser**

Práctica 1. ¿Formal o informal? Choose the correct personal pronoun (**tú, Ud., Uds.**) to address the following people.

1. un actor famoso ____________
2. un bebé ____________
3. un amigo ____________
4. una artista famosa ____________
5. un profesor ____________
6. unos doctores ____________
7. una compañera ____________
8. un animal ____________
9. unas profesoras ____________
10. unos amigos ____________

Práctica 2. Los pronombres personales. Write the correct personal pronoun for talking *about* each of the following people.

yo	nosotros
tú	
Ud.	Uds.
él/ella	ellos/ellas

1. la profesora ____________
2. el doctor ____________
3. unos amigos ____________
4. unas amigas ____________
5. mis amigos y yo ____________
6. tú y tres mujeres ____________
7. Juan y Carlos ____________
8. Sofía ____________
9. tú y él ____________
10. el presidente ____________

Práctica 3. Descripciones con el verbo *ser*. As you get to know the people on your tour, you find out some interesting information about them, like where they are from and some adjectives that describe them. Complete each sentence with the correct form of the verb **ser**.

1. Yo ____________ una persona interesante.
2. Uds. y yo ____________ amigos.
3. Ellos ____________ unos cantantes (*singers*) famosos.
4. Uds. ____________ optimistas.
5. ¿____________ ellos los profesores?
6. ¿____________ el autobús de Guatemala?
7. Ellas ____________ de Nueva York.
8. Ella ____________ la estudiante puertorriqueña.
9. Tú no ____________ de Colorado.
10. Ud. ____________ muy paciente.

Síntesis y repaso

Práctica 1. Una conversación con el profesor. Listen to the conversation between Professor Gómez and two of his new Spanish literature students on the first day of classes. Then listen again and answer the following questions. Don't worry if you don't understand every word. Phrases you have learned in this chapter will help you understand the gist of the conversation.

VOCABULARIO PRÁCTICO

ocupado busy

1. ¿Cómo se llama el profesor? ______________________
2. ¿Cómo se llaman los dos estudiantes? ______________________
3. ¿Cómo está el profesor hoy?

   ☐ No muy bien. ☐ Muy bien.
4. ¿Quién (*Who*) es de Arizona? ______________________
5. ¿Quién es de Texas? ______________________
6. ¿Quién es de California? ______________________

Práctica 2. Formal e (*and*) informal. Indicate the appropriate person with whom you might use each expression: with a professor, with a fellow student, or with both (**ambos**).

	PROFESOR	ESTUDIANTE	AMBOS
1. Buenas tardes.	☐	☐	☐
2. ¿Qué tal?	☐	☐	☐
3. ¿De dónde es Ud.?	☐	☐	☐
4. ¿Cómo se llama?	☐	☐	☐
5. Gracias.	☐	☐	☐
6. ¿Cuál es tu nombre?	☐	☐	☐

Práctica 3. Una encuesta (*survey*).

PASO 1. You are conducting a survey of the Spanish-speaking students in your dormitory for a class project. You want to find out (1) their names, (2) where they are from, and (3) how many students are in their English classes. First, write the three questions that would be appropriate to ask the students in order to find out this information:

1. ¿____?
2. ¿____?
3. ¿______________________________________ en su clase de inglés?

PASO 2. Now listen as the students respond to your questions. Complete the chart based on what they say. You may listen more than once if you like.

	NOMBRE	LUGAR (*PLACE*)	NÚMERO DE ESTUDIANTES
ESTUDIANTE 1			
ESTUDIANTE 2			
ESTUDIANTE 3			

Práctica 4. Dos personas famosas.

PASO 1. Read the following descriptions of two famous Hispanic actors. Don't worry if you don't understand every word. Use context and other cues to get the gist of the reading. Read the paragraphs at least two times before answering the questions.

Adam Michael Rodríguez es un actor famoso. En el programa *CSI: Miami,* Rodríguez es Eric Delko, un investigador de crimen en Miami, Florida. Rodríguez, de Yonkers, Nueva York, es de ascendencia[a] cubana y puertorriqueña. Una de sus dos casas[b] está[c] en Puerto Rico.

La actriz Dania Ramírez es Maya Herrera en el programa *Heroes*. Ramírez es de la República Dominicana. De[d] adolescente, era[e] modelo en Nueva York. Ramírez estudió[f] en Montclair State University, donde también jugaba al[g] vólibol. Ahora tiene[h] una casa en Los Ángeles.

[a]*descent* [b]*houses* [c]*is* [d]*As an* [e]*she was* [f]*studied* [g]donde… *where she also played* [h]Ahora… *Now she has*

PASO 2. Read the following sentences and indicate who each sentence describes: Adam Michael Rodríguez Dania Ramírez, or both (ambos).

	ADAM	DANIA	AMBOS
1. Es famoso/a.	☐	☐	☒
2. Tiene (*He/She has*) dos casas.	☒	☐	☐
3. Es de los Estados Unidos.	☒	☐	☐
4. Tiene experiencia como (*as*) modelo.	☐	☒	☐
5. Es atleta.	☐	☒	☐

PASO 3. Imagine that you are also a famous actor or actress. Complete the following paragraph with information about a fictional character you play.

1. ¿Cómo se llama? me llamo walter
2. ¿De dónde es? Soy de los Angeles
3. ¿Cómo es? (descripción de su personalidad) Soy inteligente
4. ¿Cuál (*What*) es su palabra (*word*) favorita en español? Fantástico
5. ¿Cuántas casas tiene? Tengo (*I have*) Tengo dos casas

Nombre ____________________ Fecha ____________ Clase ____________

El alfabeto español

The Spanish alphabet has twenty-nine letters, three more than the English alphabet. These letters are listed below, along with their Spanish names. You will have the chance to practice most of these letters individually in future chapters.

Práctica 1. El abecedario. Listen and repeat the letters of the Spanish alphabet and names that feature each letter.

a	a	Alberto, Ana	**n**	ene	Norberto, Natalia
b	be	Bernardo, Belinda	**ñ**	eñe	Íñigo, Begoña
c	ce	Carlos, Cecilia	**o**	o	Óscar, Olivia
ch	che	Chuy, Charo	**p**	pe	Pedro, Paula
d	de	David, Diana	**q**	cu	Roque, Enriqueta
e	e	Ernesto, Evita	**r**	ere	Ramón, Rosa
f	efe	Felipe, Francisca	**s**	ese	Santiago, Sara
g	ge	Gerardo, Graciela	**t**	te	Tomás, Teresa
h	hache	Héctor, Herminia	**u**	u	Ulises, Úrsula
i	i	Ignacio, Isabel	**v**†	uve	Víctor, Verónica
j	jota	José, Juanita	**w***†	doble ve	Wilfredo, Wilma
k*	ka	Karlos, Kiki	**x**	equis	Xavier, Xenia
l	ele	Luis, Leticia	**y**	i griega	Cayo, Yolanda
ll	elle	Guillermo, Olalla	**z**	zeta	Zacarías, Zunilda
m	eme	Marcos, Margarita			

Práctica 2. Pronunciación de la *h*. The Spanish spelling system is easy to learn. Each letter of the Spanish alphabet generally has only one pronunciation associated with it. Most of the letters are similar to English, with a few exceptions. One of these exceptions is the letter **h,** which in Spanish is silent. Listen carefully and repeat the following phrases containing **h.** Don't worry if you don't recognize all the words. Just focus on pronouncing them correctly.

1. Hola.
2. Hasta luego.
3. No hay de qué.
4. Hablo español.
5. ¿Qué haces?
6. El hombre es mi profesor.

Práctica 3. Letras similares. Many Spanish letters are pronounced very similarly to English letters. Listen to and repeat the following words. You will hear each word twice. Note that the pronunciation of the highlighted letter is nearly identical to the pronunciation of the English letter.

1. **m**ucho 2. **c**afé 3. **l**uego 4. **m**uy 5. **n**ada 6. bonito 7. **p**a**p**el 8. famoso

Práctica 4. La ortografía (*Spelling*). Throughout this chapter, you have learned many expressions to use when meeting new people. One commonly occurring problem when meeting people is learning not only how their names are pronounced but also how they are spelled. By knowing the names of the letters in Spanish, you can easily ask for the spelling of any word you are unsure of.

Listen as three people spell their names for you using the Spanish alphabet. You will hear each name spelled twice. Follow along and write the names as you hear them. You can check your answers in the Answer Key.

1. _ _ _   _ _ _ _ _ _
2. _ _ _ _   _ _ _ _ _ _ _
3. _ _ _ _ _ _ _   _ _ _ _ _ _ _ _

*The letters **k** and **w** only appear in words borrowed from another language.
†The letter **v** can also be called **ve** and the letter **w** can also be called **uve doble.**

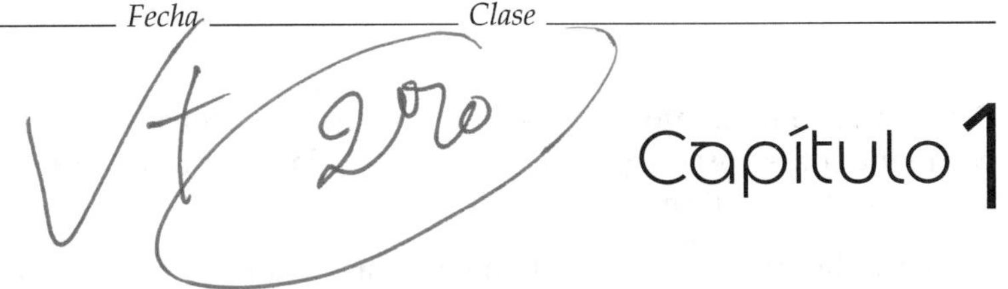

Capítulo 1

TEMA I: En la universidad

Vocabulario del tema

Práctica 1. ¡Encuentre las diferencias! (***Spot the differences!***) Indicate if each sentence is **cierto** (**C**) or **falso** (**F**) based on the following drawings of two classrooms.

1. ☐ C ☐ F
2. ☐ C ☐ F
3. ☐ C ☐ F
4. ☐ C ☐ F
5. ☐ C ☐ F
6. ☐ C ☐ F
7. ☐ C ☐ F
8. ☐ C ☐ F

Práctica 2. En el salón de clase. Complete each sentence with words from the list to describe what each student is carrying on his or her first day of classes. **¡OJO!** Not all of the words will be used, and some will be used more than once.

un bolígrafo	una computadora portátil	un lápiz	una mochila
un teléfono celular	un cuaderno	unos libros de texto	unos papeles

1. Sam tiene (*has*) ________________ y ________________.
2. Linda tiene ________________ y ________________.
3. Mateo tiene ________________ y ________________.
4. Yasmin tiene ________________ y ________________.

Nombre ______________________ Fecha ____________ Clase ______________

Práctica 3. Las carreras (*Majors*). Indicate the class that does *not* correspond to the major.

1. Matemáticas
   a. la geometría b. el periodismo c. el álgebra d. el cálculo
2. Administración Empresarial
   a. las finanzas b. la economía c. la física d. la contabilidad
3. Ciencias
   a. la química b. el japonés c. la biología d. la astronomía
4. Bellas Artes
   a. la informática b. la música c. la pintura d. el teatro
5. Lenguas Extranjeras
   a. el alemán b. el español c. el francés d. el derecho
6. Estudios Internacionales
   a. la geografía b. las ciencias políticas c. el chino d. la anatomía

Práctica 4. Mi futuro. Read the first sentence about each student's future career goals. Then complete the second sentence about what he or she would logically study, using words from the list.

arquitectura	ciencias políticas	escultura	inglés	pintura
biología	derecho	ingeniería	literatura	química

1. Alberto desea ser (*wants to be*) novelista. Estudia ______________ y ______________.
2. Lisa desea ser una mujer política (*politician*). Estudia ______________ y ______________.
3. Miguel desea ser profesor de ciencias. Estudia ______________ y ______________.
4. Amanda desea ser artista. Estudia ______________ y ______________.
5. Manolo desea ser arquitecto. Estudia ______________ y ______________.

Práctica 5. Los edificios. In what buildings on campus would you find the following people or things?

1. ______ la clase de drama
2. ______ una pintura
3. ______ libros y mapas
4. ______ el equipo (*team*) de basquetbol
5. ______ la clase de anatomía
6. ______ estudiantes en pijama (*pajamas*)
7. ______ la clase de sicología
8. ______ pizza y hamburguesas

a. la biblioteca
b. la Facultad de Ciencias Sociales
c. el museo
d. el teatro
e. la residencia
f. el gimnasio
g. la cafetería
h. la Facultad de Medicina

Gramática

1.1 Descriptive Adjectives

Práctica 1. Identificaciones. Identify someone or something you know that has the following characteristics.

1. una clase aburrida: ___________
2. un escritor inteligente: ___________
3. una mujer elegante: ___________
4. un cantante arrogante: ___________
5. un hombre idealista: ___________
6. una persona pesimista: ___________
7. una ciudad grande: ___________
8. un libro interesante: ___________

Práctica 2. Adjetivos opuestos (*opposite*). Complete the sentences with the adjective that is the opposite of the one in the first statement. Be sure that the adjective matches the noun in number and gender.

1. Mis clases son interesantes, pero tus clases son aburridas.
2. Tu estéreo es pequeño, pero mi estéreo es Grande.
3. Mi profesor es trabajador, pero tu profesor es perezoso.
4. Mis compañeros de cuarto son simpáticos, pero tus compañeros de cuarto son antipáticos.
5. Tus amigos son altos, pero mis amigos son bajos.
6. Mis notas son buenas pero tus notas son malas.
7. Tu perro (*dog*) es bonito, pero mi perro es feo.

Práctica 3. Descripción. Imagine you work in the admissions office and you take calls from prospective students. Answer affirmatively the questions they ask about your campus, adding the descriptive adjective given in order to convince the caller that your university is a good place to attend. Then listen and repeat the correct answer.

MODELO (*you hear*) ¿Hay una librería en el campus? (*you see*) bueno →
(*you say*) Sí, hay una librería buena en el campus.

1. moderno
2. famoso
3. bonito
4. grande
5. interesante

Práctica 4. Nuestras cosas (*things*). Complete the sentence with the possessive adjective **mi, tu,** or **su.**

1. Juan, ¿cuál (*what*) es tu clase favorita este semestre?
2. Lilia desea ser novelista. Su clase favorita es literatura.
3. Guy es de Francia. Su ciudad de origen es París.
4. Yo soy muy creativa. Mi clase favorita es arte.

5. Ana, ¿cuál es tu carrera?
6. Me gusta (*I like*) la música. Mi artista favorita es Shakira.

1.2 Introduction to the Verb **gustar**

Práctica 1. ***¿Gusta* o *gustan*?** Circle the correct form of **gustar** to complete each sentence.

1. Me (gusta / gustan) los perros calientes (*hot dogs*).
2. Me (gusta / gustan) las novelas románticas.
3. Me (gusta / gustan) el programa de televisión *American Idol.*
4. Me (gusta / gustan) la clase de historia.
5. Me (gusta / gustan) almorzar (*to eat lunch*) a mediodía.
6. Me (gusta / gustan) bailar (*to dance*) y cantar (*to sing*).
7. Me (gusta / gustan) charlar por el Internet.
8. No me (gusta / gustan) escribir (*to write*) poemas.

Práctica 2. ¿Te gusta? You are being interviewed for a magazine article. Everyone wants to know your likes and dislikes. You will hear a series of nouns. Say if you like or dislike each item, according to the responses given. Use **gusta** or **gustan** as necessary. Then listen and repeat the correct answer.

MODELO (*you hear*) la clase de español
(*you see*) sí →
(*you say*) Me gusta la clase de español.

1. sí 2. no 3. sí 4. sí 5. no 6. sí 7. no 8. sí

Práctica 3. ¿Qué le gusta a Ud.? Choose one item you like and one you don't like from each category and create a sentence following the **modelo.**

MODELO en la biblioteca: novelas (románticas / de ciencia ficción), libros científicos, mapas (*m. pl.*)
Mi gustan los libros científicos, pero no me gustan las novelas de ciencia ficción.

1. la comida (*food*) mexicana: los tacos, las enchiladas, los burritos, las chimichangas
____
2. los restaurantes: la comida mexicana / italiana / china / rápida (*fast*)
____
3. las bebidas (*drinks*): el té, el café, el vino (*wine*), la cerveza, la limonada, Coca-Cola, Pepsi
____
4. las materias: el inglés, las matemáticas, la biología, la sicología, las lenguas extranjeras, la historia, la sociología
____
5. los animales: las jirafas, los pingüinos, los tigres, los mosquitos, los elefantes, las tarántulas, las cucarachas (*cockroaches*)
____

Síntesis y repaso

Práctica 1. El primer día (*first day*) de clases. Listen to Lisa and Miguel talking on the first day of classes, then answer the questions. Don't worry if you don't understand every word—just try to get the gist of the conversation. Listen to the dialogue once to see what you can understand. Then read over the questions and replay the dialogue again, this time listening for the answers.

VOCABULARIO PRÁCTICO

¿Cómo van las clases?	How are your classes going?
todas	all
pues...	well . . .
claro	of course
¿Qué clases tomas?	What classes are you taking?
también	also

1. ¿Qué clases toma Miguel este (*this*) semestre?

   ☐ cálculo ☐ arquitectura ☐ química
   ☐ farmacia ☐ sociología ☐ sicología
   ☐ español ☐ anatomía ☐ informática

2. Las clases de Miguel son: ☐ difíciles ☐ fáciles
3. ¿Cuál es la carrera de Miguel? ____________________
4. ¿Cuál es la clase favorita de Miguel? ____________________
5. ¿Cómo es la profesora Peña? ____________________

Práctica 2. Nuestra universidad. Listen to the description of the university campus, then answer the questions. Don't worry if you don't understand every word—just try to understand the main points of the narration. You may listen more than once if you like.

VOCABULARIO PRÁCTICO

la vida estudiantil	student life
los estudiantes de primer año	freshmen
viven	they live
ofrece	offers

1. Las clases son _____.
   a. difíciles b. populares c. aburridas
2. La universidad ofrece clases en la Facultad de _____.
   a. Ciencias b. Bellas Artes c. las dos (*both*)
3. Los estudiantes de primer año viven en _____.
   a. residencias b. apartamentos c. casas
4. ¿Qué hay en el centro del campus?
   a. una cafetería b. una biblioteca c. un teatro
5. El campus tiene un hospital para _____.
   a. animales b. estudiantes c. profesores y estudiantes

Práctica 3. Las clases de Sara. Listen to Sara describe her classes and professors this semester. Then indicate if the following sentences are **cierto** (**C**) or **falso** (**F**) based on the information you hear.

	C	F
1. Su profesor de historia es muy antipático.	☐	☐
2. Su clase de ciencias políticas es difícil.	☐	☐
3. Su clase de derecho es aburrida.	☐	☐
4. Su profesor de sociología es impaciente.	☐	☐
5. Su clase de español es divertida.	☐	☐

Práctica 4. Los cognados

PASO 1. Cognates, words that are similar in form and meaning in Spanish and English, can help you understand commercials, announcements and other forms. Scan the following announcement and use cognates to complete the following questions.

EMPIEZA A HABLAR INGLÉS - EDUCACIÓN CLASES PARTICULARES	
EDUCACIÓN: Texas, Estados Unidos	
Titular:	Empieza a hablar inglés
Localización:	Texas
Categoría:	EDUCACIÓN > CLASES DE INGLÉS
Precio:	20 $
DESCRIPCIÓN DEL CLASIFICADO	
EMPIEZA A HABLAR INGLÉS Profesora en traducción e interpretación da clases de inglés a profesionales. Énfasis en la conversación. Tengo 4 años de experiencia viviendo en Londres y Dublín.	

PASO 2. ¿Cierto o falso?

	C	F
1. Ella ofrece (*offers*) clases de español.	☐	☐
2. La clase cuesta (*costs*) treinta dólares.	☐	☐
3. Las clases están (*are*) en Dublín.	☐	☐
4. Ella tiene (*has*) un año de experiencia.	☐	☐
5. Ella practica mucho la conversación.	☐	☐
6. Las clases son para (*for*) profesionales.	☐	☐

PASO 3. Using the preceding notice as a guide, write a classified ad for giving classes in a subject you enjoy. Include a title, place, category, price, and a short description.

Titular:
Localización:
Categoría:
Precio:
DESCRIPCIÓN DEL CLASIFICADO

Pronunciación

Las vocales (*vowels*)

Spanish has five vowels that, unlike English vowels, are pronounced only one way. For example, the vowel *a* is pronounced many different ways in English: c*a*t, f*a*ther, m*a*de, *a*bout. But the Spanish **a** is pronounced in only one way, similar to the "ah" sound in English f*a*ther.

Below are the five Spanish vowels along with a description of their pronunciations.

Práctica 1. Las vocales. Listen to each vowel and repeat what you hear. You will hear each vowel twice.

a *ah* as in f*a*ther
e *ay* as in caf*é*
i *ee* as in m*ee*t
o *oh* as in *oa*k
u *oo* as in f*oo*d

Note that these vowels do not sound exactly like their English counterparts. The reason for this is that in English, most long vowels are pronounced as though they have a *y* or a *w* on the end. Speakers of Spanish, on the other hand, simply pronounce the pure vowel.

Práctica 2. Las vocales en inglés y español comparadas. Listen to the following pairs of words, paying attention to the differences in the vowels. Pay particular attention to the *y* and *w* sounds at the end of English words, and their absence in the Spanish words. Repeat each Spanish word and try to imitate the vowel sound you hear.

	ENGLISH	SPANISH
1.	see	**si**
2.	say	**se**
3.	lay	**le**
4.	too	**tu**
5.	no	**no**
6.	low	**lo**

One final difference between Spanish and English vowels is that Spanish vowels are never pronounced with an *uh* sound as in the English *apartment* (*uh*-PART-m*uh*nt) or *economics* (ee-k*uh*-NAH-m*uh*ks). Therefore, a word like **hola** will not be pronounced as *OH-luh*. The correct pronunciation is **OH-lah.**

Práctica 3. Las vocales en español. Listen to and repeat each of the following cognates paying close attention to the pronunciation of the vowel sounds.

1. apartamento
2. económica
3. profesor
4. universidad
5. campus
6. literatura
7. regular

Nombre ______________________ Fecha ____________ Clase ______________

TEMA II: ¿Estudia y trabaja Ud.?

Vocabulario del tema

Práctica 1. Los días feriados (*Holidays*). Many university students in the United States look forward to various holidays that occur over winter break. Use the December calendar to answer questions about the days of the week on which some of these special days fall.

DICIEMBRE						
DOMINGO	LUNES	MARTES	MIÉRCOLES	JUEVES	VIERNES	SÁBADO
		1 Día mundial del SIDA (*World AIDS Day*)	2	3	4	5
6	7 Día de Pearl Harbor	8	9	10 Día de los derechos humanos (*human rights*)	11	12
13	14 Primer día de Hanuká	15	16	17	18	19
20	21	22	23	24 La Nochebuena (*Christmas Eve*)	25 La Navidad	26 Primer día de Kwanzaa
27	28	29	30	31 La Noche Vieja (*New Year's Eve*)		

1. ¿Qué día de la semana es la Nochebuena? jueves
2. ¿Qué día de la semana es el primer día de Kwanzaa? Sábado
3. Si hoy es el Día mundial del SIDA, ¿qué día de la semana es mañana? Miércoles
4. ¿Qué día de la semana es el día antes de Hanuká? Domingo
5. ¿Qué día de la semana es la Navidad? Viernes

Práctica 2. El reloj. You will hear a series of times. Indicate them on the following clocks. You will hear each time twice.

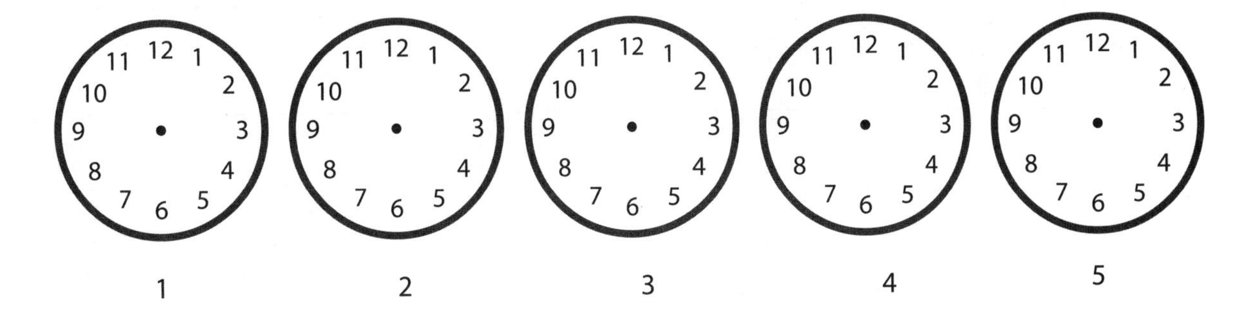

Práctica 3. ¿Qué hora es? Write out the following times in Spanish. Use complete sentences.

1. 8:45 A.M. Son las nueve menos cuarto de la mañana
2. 12:00 A.M. Es medianoche
3. 4:40 P.M. son las cinco menos veinte de la tarde
4. 9:10 P.M. Son la nueve y diez de la noche
5. 3:30 P.M. Son las tres y media de la tarde
6. 6:55 A.M. Son las siete menos cinco de la mañana

Práctica 4. La semana de Miguel. Look at Miguel's class schedule and answer the questions that follow.

	LUNES	MARTES	MIÉRCOLES	JUEVES	VIERNES
8:00	historia de Europa		historia de Europa		historia de Europa
9:00		sicología		sicología	
10:00					
11:00	ciencias políticas	geografía	ciencias políticas	geografía	
12:00	español		español		español
13:00	comer (*eat*) con los amigos				
14:00			literatura mexicana		
15:00	estudiar (*study*)	estudiar		jugar (*play*) al fútbol	

1. ¿A qué hora es la clase de geografía?

   A las once.

2. ¿Cuántas clases de literatura tiene Miguel?

   una clase

3. ¿A qué hora juega al fútbol?

   A las tres de la tarde

4. ¿Qué clases tiene Miguel el lunes?

   historia de Europa, ciencias politicas y español

5. ¿A qué hora come con sus amigos?

   A la una de la tarde

6. ¿Cuántas horas de tiempo libre tiene Miguel el viernes?
   seis horas

7. Si hoy es miércoles, ¿qué clases tiene Miguel mañana?
   sicologia y geographia

Gramática

1.3 Present Tense of Regular -ar Verbs

Práctica 1. Un día típico. Indicate the things you might do on a typical day.

- ☐ Camino a clase.
- ☐ Busco un libro en la biblioteca.
- ☐ Hablo con mis profesores.
- ☐ Trabajo por la tarde.
- ☐ Compro una hamburguesa en la cafetería.
- ☐ Escucho la lección de español en mi computadora.
- ☐ Miro la televisión por la noche.
- ☐ Estudio mucho.

Practica 2. En el campus. Complete each sentence with the correct form of the verb in parentheses.

1. Mi amigo y yo practicamus (practicar) el tenis por una hora por la mañana.
2. Alicia regresa (regresar) a la residencia para estudiar.
3. Yo hablo (hablar) con una amiga por teléfono celular.
4. Los estudiantes toman (tomar) muchos apuntes en clase.
5. Uds. trabajan (trabajar) en la cafetería.
6. Tú buscas (buscar) al profesor de historia.
7. Los estudiantes de teatro cantan (cantar) en clase.
8. Yo toco (tocar) la guitarra en la clase de español.

Práctica 3. Necesidades y deseos. Write about your current daily routine and then express your ideal routine following the model.

MODELO practica: Practico el tenis los lunes, pero deseo practicar todos los días.

1. practicar: ______ pero ______.
2. trabajar: ______ pero ______.
3. bailar: ______ pero ______.
4. estudiar: ______ pero ______.
5. escuchar: ______ pero ______.
6. ______: ______ pero ______.

Práctica 4. Yo escucho, tú escuchas.

PASO 1. Listen to the series of statements about what several people do during the week. You will hear each statement twice. Then restate the sentence using the subject listed.

MODELO (*you hear*) El profesor trabaja mucho. (*you see*) tú →
(*you say*) Tú trabajas mucho.

1. nosotros 2. Ud. 3. tú 4. yo

PASO 2. Now you will hear questions about what *you* do during the weekend. You will hear each question twice. Respond affirmatively, following the model. Then listen and repeat the correct answer.

MODELO (*you hear*) ¿Estudias los sábados? →
(*you say*) Sí, estudio los sábados.

1. .... 2. .... 3. .... 4. ....

1.4 Present Tense of Regular -er and -ir Verbs

Práctica 1. Detective. Read the following paragraphs, then underline and list all the **-er** and **-ir** verbs as they appear in the paragraphs. Do not write down **-ar** verbs.

Los profesores creen que es difícil enseñar cinco días a la[a] semana porque[b] también[c] necesitan publicar[d] artículos y libros. Leen y escriben muchos artículos y estudios académicos. Necesitan más tiempo para trabajar.

Los estudiantes también trabajan mucho y viven con mucho estrés. Asisten a clases cinco o seis días a la semana y generalmente no comen bien porque estudian mucho. Algunos[e] estudiantes no reciben dinero de sus padres u otras fuentes[f] y necesitan trabajar también.

[a]a... *per* [b]*because* [c]*also* [d]*publish* [e]*Some* [f]sus... *their parents or other sources*

VERBOS REGULARES -ER	VERBOS REGULARES -IR
1. Creen	4. escriben
2. leen	5. viven
3. comen	6. asisten
	7. reciben

Práctica 2. En la clase. Describe the things people do in class by completing each sentence with the correct form of the verb in parentheses.

1. Yo aprendo (aprender) mucho en la clase.
2. Nosotros también escribimos (escribir) en la clase.
3. Ellos siempre (*always*) asisten (asistir) a la clase.
4. Tú no debes (deber) comer en la clase.
5. A veces, yo no comprendo (comprender) todo en la clase de español.
6. El profesor cree (creer) que somos buenos estudiantes.
7. Para estudiar, tú lees (leer) los libros.
8. Cuando hay un examen, nosotros no ambrimos (abrir) los libros.
9. Pablo recibe (recibir) mucha atención del profesor.
10. Al final del semestre, ellas venden (vender) los libros.

Práctica 3. ¿Qué creen los estudiantes? The local news station is interviewing you regarding the general student population's opinions and behaviors. Respond to the questions you hear using the **nosotros** form of the given verb. Then listen to and repeat the correct answer.

VOCABULARIO PRÁCTICO

al final del semestre	at the end of the semester

MODELO (*you hear*) ¿Comprenden Uds. el español? (*you see*) Sí →
(*you say*) Sí, comprendemos el español.

1. no 2. sí 3. sí 4. no 5. sí 6. no 7. sí 8. no 9. sí 10. sí

Práctica 4. El fin de semana. Write the activities that Diego does every Saturday, according to the drawing. ¡OJO! Don't forget to conjugate the verbs.

asistir a un concierto	correr en el parque	hablar con una amiga
cantar	escribir un ensayo (*essay*)	leer muchos libros
comer con el compañero de cuarto	escuchar música	trabajar en una tienda
comprar un cuaderno		

1. correr en el parque
2. escucha música
3. lee muchos libros
4. trabaja en una tienda
5. Asiste a un concierto
6. habla con una amiga

Síntesis y repaso

Práctica 1. La universidad típica. Listen to the description of student life at a university. Indicate the correct word(s) to complete each item based on what you hear. **¡OJO!** If there is more than one answer, check all that apply. Don't worry if you don't understand every word you hear. You may listen more than once if you like.

1. El estudiante típico llega a la universidad a las ____.

   ☐ nueve o diez ☐ ocho o nueve ☐ diez u once

2. El estudiante típico toma café en ____.

   ☐ la clase ☐ un restaurante elegante ☐ la cafetería

3. La biblioteca en el centro del campus es ____.

   ☐ una gran biblioteca ☐ una biblioteca grande

4. Los estudiantes normalmente toman ____ clases.

   ☐ cinco o seis ☐ cuatro o cinco ☐ dos o tres

5. En la universidad hay clases de ____.

   ☐ español ☐ historia ☐ arquitectura
   ☐ matemáticas ☐ medicina ☐ periodismo

6. ¿Cómo son los profesores de la universidad?

   ☐ liberales ☐ flexibles ☐ inteligentes

7. ¿Cuáles de los siguientes deportes practica el estudiante típico?

   ☐ béisbol ☐ tenis ☐ fútbol

8. Los fines de semana, muchos estudiantes ____.

   ☐ hablan con sus amigos ☐ estudian en la biblioteca ☐ bailan

Práctica 2. Una semana de clases. Listen to Sara's description of a typical week and complete the following chart. Listen once all the way through, then listen a second time to fill in the information.

	LUNES	MARTES	MIÉRCOLES	JUEVES	VIERNES
8:00					
9:00					
10:00					
11:00					
12:00					
13:00					
14:00					
15:00					
16:00					

Práctica 3. Nuestras rutinas diarias. Read the following essay in which Julio describes his daily routine and the routine of his friend Celia. Then indicate whether each of the following statements is **cierto (C)** or **falso (F)**. If a sentence is false, correct it by writing a complete sentence.

Me llamo Julio y estudio lingüística en la universidad. Me gusta mucho mi universidad. A mi amiga Celia le gusta la universidad también, pero ella estudia ingeniería. Celia también trabaja en la librería de la universidad todos los días de las ocho y media a las once y media de la mañana.

A las nueve de la mañana los lunes, miércoles y viernes tomo una clase de español. Es mi clase favorita. No es muy difícil. El profesor, el señor García, es colombiano y es simpático. Los lunes, miércoles y viernes también tomo una clase de literatura americana. No me gusta la literatura, pero la profesora es inteligente e interesante. Los martes y jueves tomo dos clases: una clase de lingüística española y otra clase de sociología. Las clases son buenas, pero difíciles. Estudio en la biblioteca todos los días. ¡Hay muchos exámenes en mis clases!

La primera clase de Celia, los lunes, miércoles y viernes, es la clase de ingeniería civil a la una de la tarde. Los martes y jueves, toma clases de arquitectura, cálculo e inglés. Su carrera es muy difícil, pero a Celia le gusta mucho. Estudia en la biblioteca todas las noches.

Los fines de semana, me gusta hablar con mis amigos y bailar en el club. Me gusta tocar el piano los sábados. También practico deportes con mis amigos. A Celia le gusta descansar los fines de semana. No trabaja y no estudia. Mira mucho la televisión.

	C	F
1. Julio y Celia estudian ingeniería.	☐	☐
______________________________		
2. Celia trabaja en la biblioteca.	☐	☐
______________________________		
3. Julio tiene un profesor de español simpático.	☐	☐
______________________________		
4. Celia toma cuatro clases.	☐	☐
______________________________		
5. Julio toma muchos exámenes.	☐	☐
______________________________		
6. Celia toca el piano.	☐	☐
______________________________		

Práctica 4. Las escuelas bilingües.

PASO 1. Read the following description of bilingual schools.

En los Estados Unidos hay más de trescientos[a] escuelas y colegios con programas bilingües español-inglés. Hay tres tipos de escuelas bilingües.

- Escuelas con instructores bilingües que enseñan una parte del día en inglés y la otra parte en español
- Escuelas que enseñan el inglés y el español en días alternos:[b] un día entero[c] enseñan inglés y el otro día sólo[d] español
- Escuelas que enseñan cursos específicos en español (por ejemplo, ciencias) y los demas[e] en inglés

¿Por qué[f] hay escuelas bilingües? Los niños tienen[g] la capacidad de comprender muchas lenguas. Para los niños es fácil aprender dos o tres lenguas, pero para los adultos es más difícil. Según[h] evidencia, las personas bilingües son más inteligentes. ¿Hay una escuela bilingüe en tu ciudad?

[a]*three hundred* [b]*alternate* [c]*whole* [d]*only* [e]los... *the rest* [f]Por... *Why* [g]*have* [h]*According to*

PASO 2. Indicate the correct answer for each question, based on **Paso 1. ¡OJO!** There may be more than one correct answer.

1. ¿Cuántos escuelas y colegios hay en los Estados Unidos con programas bilingües?

   ☐ muchos ☐ tres ☐ más de trescientos

2. ¿Cuántos tipos hay de escuelas bilingües?

   ☐ trescientos ☐ tres ☐ diferentes

3. En el primer tipo de programa, enseñan ___ en español.

   ☐ parte del día ☐ un día entero ☐ todo (*everything*)

4. Es fácil para ___ aprender dos o tres lenguas.

   ☐ los niños ☐ para los adultos ☐ las personas bilingües

PASO 3. Search the Internet for bilingual or dual language programs in your city. If there are no programs in your area, choose one in another city. Explain which model is followed in terms of percentages of Spanish and English.

____

____

____

____

____

____

A finalizar

You are now going to write your final composition, based on the first draft you wrote in the **Palabra escrita: A comenzar** section of your textbook. Remember that the theme for your composition is **Mi universidad** and that your purpose is to tell the reader about some aspects of your university.

Práctica 1. El borrador (*draft*). Review the first draft of your composition and ask yourself if you've adequately answered these questions.

1. ¿Es grande o pequeña su universidad? ¿Cuántos estudiantes y cuántos profesores hay en su universidad? ¿De dónde es la mayoría (*majority*) de los estudiantes?
2. ¿Cuántos programas académicos hay? ¿Cuáles son los programas más populares?
3. ¿Qué actividades sociales o eventos culturales hay para los estudiantes de su universidad? ¿Cuáles le gustan a Ud.? ¿Cuáles no le gustan?
4. ¿Hay otros datos (*facts*) importantes que desea mencionar?

Práctica 2. El vocabulario y la estructura. Review the vocabulary and grammar sections of this chapter, and consider these questions about your composition.

1. Have you included information to answer the questions in **Práctica 1**?
2. Is the vocabulary appropriate?
3. Have you used grammatical structures correctly, especially **gustar**?
4. Do the verb forms agree with their subjects?
5. Do adjectives agree with the nouns they modify?

Práctica 3. ¡Ayúdame, por favor! (*Help me, please!*) Have a classmate read your composition and suggest changes or improvements then do the same for him/her.

Práctica 4. El borrador final. Rewrite your composition and hand it in to your instructor.

Nombre ______________________ Fecha ______________ Clase ______________________

Capítulo 2

Tema I: Una pasión por los deportes

Vocabulario del tema

Práctica 1. ¿Qué hace? Indicate which caption correctly describes each drawing.

1. ☐ Nada en la piscina.
   ☐ Patina en línea.

2. ☐ Pasea en el parque.
   ☐ Corre en el parque.

3. ☐ Juega al baloncesto.
   ☐ Juega al vólibol.

4. ☐ Navegan en Internet.
   ☐ Sacan fotos.

Práctica 2. ¿En la casa o en el parque? Indicate whether each activity would typically be done **en casa** or **en el parque.**

	CASA	PARQUE
1. jugar al fútbol	☐	☒
2. mirar la televisión	☒	☐
3. andar en bicicleta	☐	☒
4. jugar al béisbol	☐	☒
5. navegar en Internet	☒	☐
6. patinar en línea	☐	☒

Práctica 3. El tiempo libre y el trabajo. Pick the activity that would be most likely to occur in each situation.

1. el lunes por la mañana, en clase
   a. cantar　　b. estudiar　　c. correr
2. el sábado por la tarde, en el parque
   a. sacar un DVD　　b. tocar el piano　　c. andar en bicicleta
3. el viernes por la noche, en una fiesta
   a. trabajar　　b. nadar　　c. bailar
4. el domingo por la mañana, en las montañas
   a. sacar fotos　　b. jugar al tenis　　c. enseñar
5. el martes por la tarde, en el restaurante
   a. navegar en Internet　　b. correr　　c. comer
6. el lunes por la noche, en casa
   a. escuchar música　　b. enseñar　　c. patinar en línea

Práctica 4. Nota comunicativa: Los pronombres después de preposiciones. Listen to each question and complete the answer using the correct prepositional pronoun from the list. Then listen and repeat the correct answer. You will hear each question twice.

mí / conmigo　　nosotros
ti / contigo　　ellos / ellas / Uds.
él / ella

1. Sí, traigo el chocolate para ________.
2. Sí, voy a la fiesta ________.
3. Sí, pongo la radio para ________.
4. Sí, hablo por teléfono con ________.
5. No, no trabajo con ________.
6. Sí, voy a jugar con ________.
7. Sí, son para ________.
8. Sí, es el lápiz de ________.
9. Sí, Mariana sale ________.
10. No, es mi carta; es para ________.

Práctica 5. ¿De qué color es? Match each object with the color that it typically represents.

amarillo	azul	gris	negro	verde
anaranjado	blanco	morado	rojo	

1.

2.

3.

4.

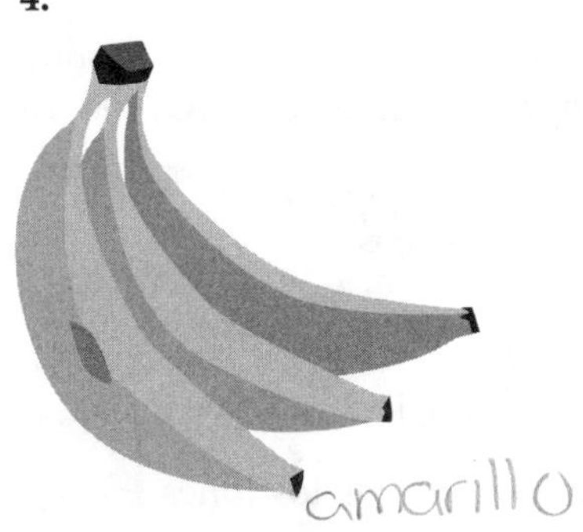

5.

6.

7.

8.

9.

1. verde
2. Morado
3. negro
4. amarillo
5. rojo
6. blanco
7. gris
8. anaranjado
9. azul

Gramática

2.1 Hacer, poner, oír, salir, traer, and ver

Práctica 1. ¿Cuál es lógico? Match the phrases in the right-hand column with the corresponding phrase in the left-hand column.

1. c Hago ejercicio todos los días.
2. f Veo películas en clase.
3. e Yo salgo a bailar al bar argentino.
4. b Hago muchas fiestas en mi casa.
5. d Hago toda la tarea los domingos por la noche.
6. a Pongo mis libros, cuadernos y lápices en mi mochila antes de dormir cada noche.

a. Me gusta estar preparado para la clase.
b. Soy extrovertida y me gusta hablar.
c. Deseo correr un maratón.
d. Procrastino mucho.
e. Yo aprendo el tango.
f. Estudio cinematografía.

Práctica 2. ¿Cómo pasan el tiempo? You will hear a series of questions about how you and your classmates spend your free time. Listen carefully and circle the appropriate response. **¡OJO!** Pay careful attention to the verb conjugations.

1. a. Hago muchas cosas. b. Haces muchas cosas.
2. a. Sí, ven muchas películas. b. Sí, vemos muchas películas.
3. a. Sí, salen a bailar con frecuencia. b. Sí, salimos a bailar con frecuencia.
4. a. No, no haces fiestas los lunes. b. No, no hago fiestas los lunes.
5. a. Hacemos la tarea. b. Hago la tarea.
6. a. Pones tu libro de español en la mochila. b. Pongo mi libro de español en la mochila.

Práctica 3. ¿Qué hacen los fines de semana? Complete each sentence with the correct form of the appropriate verb from the list.

hacer oír poner salir traer ver

1. Ella pone el DVD en la computadora.
2. Martín sale al parque a practicar deportes.
3. Yo hago ejercicio el sábado por la tarde.
4. Ellos ven el fútbol americano en la televisión.
5. Él hace la tarea en la biblioteca.
6. Ud. trae comida a la fiesta.
7. Uds. salen a nadar en la piscina.
8. Ellas hacen mucha tarea.
9. Nosotros oimus las noticias (*news*) por la radio.
10. Tú oyes la música de Juanes.

Práctica 4. ¿Qué *no* hace Ud.? Write a sentence for each of the following verbs stating something you do *not* do. **¡OJO!** Don't forget to place the **no** before the verb.

MODELO hacer → No hago fiestas en mi casa.

1. hacer: ______________________
2. poner: ______________________
3. salir: ______________________
4. ver: ______________________
5. traer: ______________________
6. oír: ______________________

2.2 Ir + a + infinitive

Práctica 1. Los planes de Ud. Indicate the activities that you plan to do this Saturday.

- ☐ Voy a estudiar.
- ☐ Voy a practicar deportes.
- ☐ Voy a mirar la televisión.
- ☐ Voy a navegar en el Internet.
- ☐ Voy a andar en bicicleta.
- ☐ Voy a salir con mis amigos.
- ☐ Voy a sacar fotos.
- ☐ Voy a nadar en la piscina.
- ☐ Voy a tocar el piano.
- ☐ Voy a hacer un examen.

Práctica 2. Planes para mañana. Imagine that tomorrow evening you have a big test in calculus. Answer the following questions about what you are going to do tomorrow to be well-prepared for the test. Use **ir** + **a** + *infinitive* to form your responses. Then listen and repeat the correct answer.

MODELO (*you hear*) ¿Vas a una fiesta esta noche?
(*you see*) no →
(*you say*) No, no voy a una fiesta esta noche.

(*you hear*) ¿Vas a ir a la biblioteca con nosotros?
(*you see*) sí →
(*you say*) Sí, voy a ir a la biblioteca con Uds.

1. sí 2. sí 3. sí 4. sí 5. no
6. no 7. sí 8. no 9. sí

Práctica 3. ¿Qué van a hacer? Write what each person will do this weekend, based on the drawings. The first one is done for you.

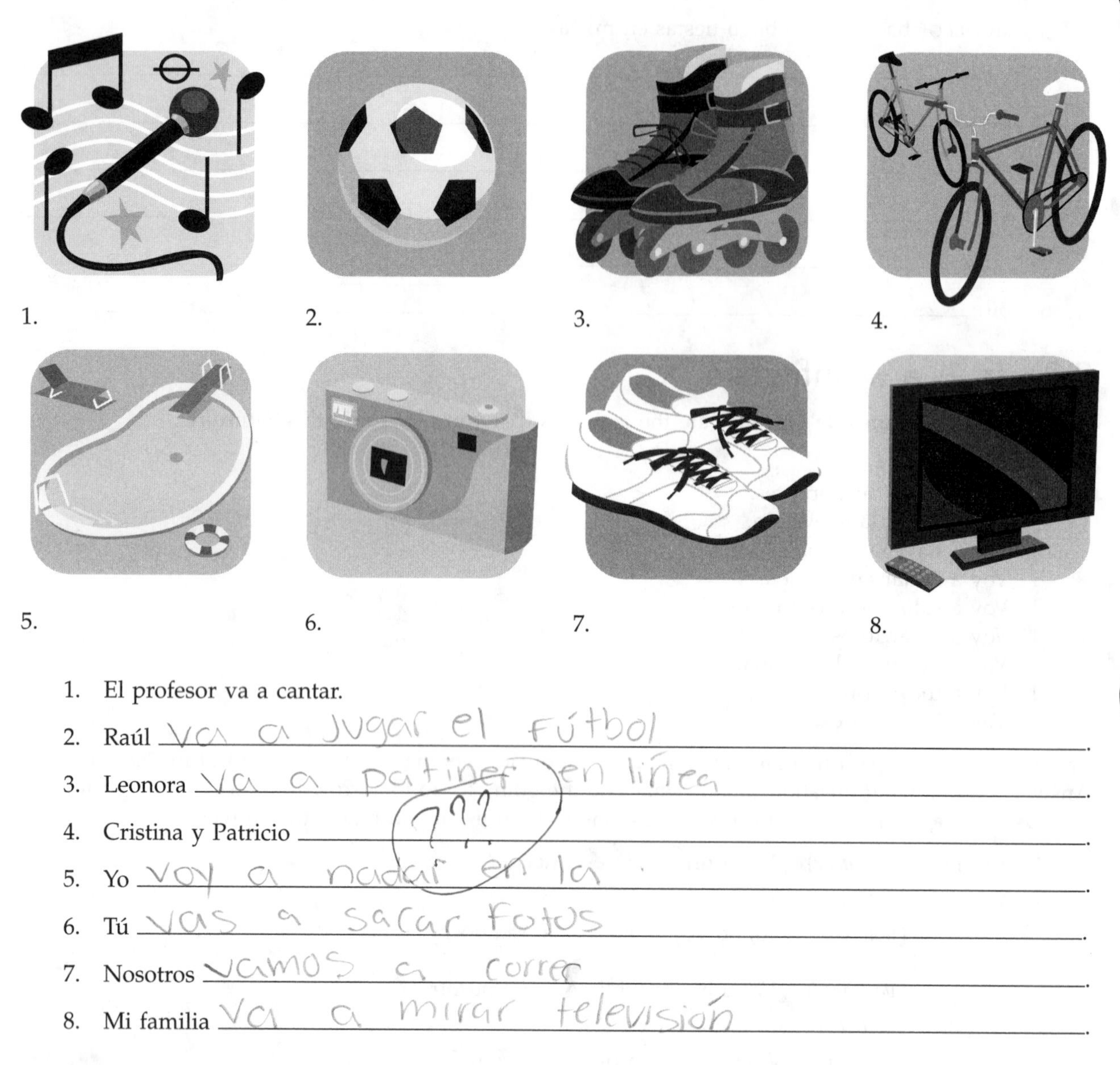

1. El profesor va a cantar.
2. Raúl va a jugar el fútbol.
3. Leonora va a patinar en línea.
4. Cristina y Patricio ???
5. Yo voy a nadar en la
6. Tú vas a sacar fotos
7. Nosotros vamos a correr
8. Mi familia va a mirar televisión

Síntesis y repaso

Práctica 1. Los pasatiempos. Listen to the description of Nicolás and Felipe. Then indicate to whom each statement refers. You may listen more than once if you like.

	NICOLÁS	FELIPE
1. Es de México.	☐	☐
2. Juega al fútbol.	☐	☐
3. Su pasatiempo favorito es practicar deportes.	☐	☐
4. Anda en bicicleta.	☐	☐
5. Juega al béisbol.	☐	☐

Práctica 2. El fin de semana de Isabel. Listen as Isabel describes her plans for the upcoming weekend. Then indicate whether the following statements are **cierto** (**c**) or **falso** (**f**). You may listen more than once if you like.

VOCABULARIO PRÁCTICO

cosas	things
voy a quedarme	I am going to stay

	C	F
1. El viernes, Isabel va a jugar al vólibol.	☐	☐
2. El viernes, Isabel va a salir con sus amigos.	☐	☐
3. El béisbol es el deporte favorito de Isabel.	☐	☐
4. El sábado, Isabel va a sacar un DVD.	☐	☐
5. El domingo, Isabel va a escuchar música.	☐	☐

Práctica 3. Las actividades de Inés. Listen to the dialogue between Inés and her friend Miguel. Then indicate the correct answer for each question. You may listen more than once if you like.

1. ¿Cuántas clases toma Inés?
   a. cinco b. cuatro c. diez d. tres
2. ¿Qué estudia Inés?
   a. sociología b. sicología c. ingeniería d. medicina
3. ¿Qué hace Inés en su tiempo libre?
   a. patina b. baila c. escucha música d. mira la tele
4. ¿Cuál es el pasatiempo favorito de Miguel?
   a. correr b. pasear c. nadar d. patinar
5. ¿Cuál es el pasatiempo favorito de Inés?
   a. correr b. pasear c. nadar d. patinar
6. ¿Dónde hace Inés su actividad favorita?
   a. en casa b. en el restaurante c. en la universidad d. en el parque

Práctica 4. Una velocista (*sprinter*) **mexicana.**

PASO 1. Read the following paragraph about Zudikey Rodríguez, a Mexican track and field athlete.

Zudikey Rodríguez es una famosa deportista de la Ciudad Juárez, México. Nació[a] el 14 de marzo de 1987. Ella es velocista, especialista en la carrera[b] de doscientos[c] metros. Compitió[d] en la carrera de cuatrocientos[e] metros en Beijing en el verano de 2008. Para las Olimpiadas, era[f] importante entrenar[g] seis horas al día: correr, nadar, levantar pesas, etcétera. Ella quedó en el séptimo lugar.[h] Desea mejorar su marca[i] y va a participar en más competencias.[j] También asiste a la Universidad Autónoma de la Ciudad Juárez (UACJ) y estudia medicina. Tiene una beca de la universidad, por eso ella no paga por sus estudios.

[a]*She was born* [b]*race* [c]*two hundred* [d]*She competed* [e]*four hundred* [f]*it was* [g]*to train* [h]quedó... *in finished seventh place* [i]mejorar... *to improve her record* [j]*competitions*

PASO 2. Complete the following items based on the reading in **Paso 1. ¡OJO!** There may be more than one correct answer.

1. Zudikey Rodríguez es _____.

   a. joven b. deportista c. atleta d. velocista

2. Ella compitió en las Olimpiadas de Beijing en el verano de 2008.

   a. cierto b. falso

3. Ella estudia _____.

   a. arte b. matemáticas c. ingeniería d. medicina

(*continúa*)

4. Para entrenarse, necesita ______.

   a. nadar b. correr c. navegar en Internet d. levantar pesas

5. Va a participar en más competencias en el futuro.

   a. cierto b. falso

6. La palabra **beca** significa (*means*) ______.

   a. *medal* b. *scholarship* c. *computer*

PASO 3. Choose your favorite athlete or research a famous Hispanic athlete and write a brief description of him or her. Answer the following questions in your description. Remember to title your description.

¿Cómo se llama?
¿De dónde es?
¿Dónde vive ahora?
¿Qué deporte practica?
¿Juega solo o en equipo (*team*)?
¿Qué hace para entrenarse?
¿Cuándo va a competir?
¿Por qué es una persona interesante para ti?

________________________________ (título)

____

____

____

____

____

____

____

____

Pronunciación: Diphthongs and linking

Diphthongs

Spanish has five vowels: **a, e, i, o,** and **u.** The vowels **a, e,** and **o** are considered strong vowels. The weak vowels are **i** and **u.** Two successive weak vowels or a combination of a strong and weak vowel form a diphthong and are pronounced as one syllable. For example, in the Spanish word **bueno,** the **u** and the **e** are pronounced together as **BWE-no** (not **bu-EH-no**).

Práctica 1. Los diptongos. Listen to each word containing a diphthong and repeat what you hear. Notice that the vowels are pronounced as a single syllable.

1. **ai** b*ai*lar
2. **au** *au*to
3. **ei** v*ei*nte
4. **eu** *Eu*ropa
5. **ia** p*ia*no
6. **ie** f*ie*sta
7. **io** estac*io*nes
8. **iu** c*iu*dad
9. **oi** s*oy*
10. **ua** c*ua*tro
11. **ue** b*ue*no
12. **ui** m*uy*
13. **uo** individ*uo*

Linking

Another important aspect of Spanish pronunciation is known as linking. For example, in the phrase **una amiga,** the **a** at the end of the first word and at the beginning of the second word link resulting in one continuous phrase: **unaamiga.** Dipthongs can also be formed by linking two words together and pronouncing them as one long word.

Práctica 2. Entre palabras. Listen to the following phrases pronounced first as individual words and then strung together. Imitate the speaker and note how the sounds are linked together in the second repetition.

1. Elena‿es una‿amiga de‿Isabel.
2. Voy‿a ver a mi‿hermano.
3. Enrique‿estudia‿inglés.

Linking Consonants

In Spanish, consonants can also link. For example, in the phrase **con Nora,** the two occurrences of **n** are pronounced as one long sound, instead of two separate ones.

Práctica 3. Las consonantes. Listen to and repeat the following phrases, paying attention to the linking of the consonants.

1. con Nora 2. los señores 3. el lápiz 4. la libertad de expresión

Práctica 4. Frases y oraciones. Now listen and repeat the following phrases, making sure to link the sounds when appropriate.

1. la escuela
2. un estadio
3. Los señores son normales.
4. La estudiante está alegre.

Tema II: El tiempo y las estaciones

Vocabulario del tema

Práctica 1. El termómetro. Read each thermometer and write out the temperature that it shows in Celsius. Then, indicate what the weather is like using **frío, fresco,** or **calor,** based on the temperature.

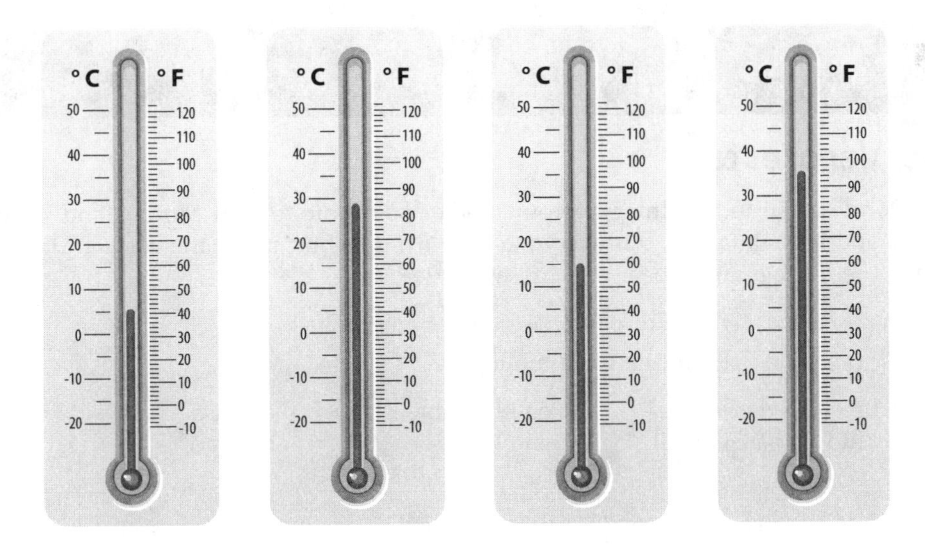

1. La temperatura está a cinco grados. Hace frío.
2. La temperatura está a veintiocho grados. Hace calor.
3. La temperatura está a quince grados. Hace fresco.
4. La temperatura está a treinta y cinco grados. Hace calor.

Práctica 2. Los meses y el tiempo. Complete the sentences with the names of the appropriate months for the northern hemisphere. Then, indicate which weather is most typical of those months. **¡OJO!** You may need to check more than one box.

1. Los meses de verano son ________, ________ y ________.

   En el verano, ____. ☐ hace sol ☐ hace calor ☐ hace frío

2. Los meses de invierno son ________, ________ y ________.

   En el invierno, ____. ☐ hace frío ☐ nieva ☐ hace muy buen tiempo

3. Los meses de otoño son ________, ________ y ________.

   En el otoño, ____. ☐ hace fresco ☐ está nublado ☐ hace mucho calor

4. Los meses de primavera son ________, ________ y ________.

   En la primavera, ____. ☐ llueve ☐ hace fresco ☐ hace mucho frío

Práctica 3. El tiempo y las actividades. Indicate which activity is best suited to the different types of weather described in each phrase.

1. Hace mucho viento y está nublado.
   a. sacar fotos en el parque b. estudiar en casa
2. Está lloviendo.
   a. mirar la tele b. andar en bicicleta
3. Hace muy mal tiempo y está nevando.
   a. jugar al golf b. navegar en Internet
4. Hace mucho calor y hace sol.
   a. caminar en la calle b. nadar en la piscina
5. Hace fresco, pero hace sol.
   a. esquiar b. correr en el parque

Gramática

2.3 The Verb **estar**

Práctica 1. ¿Dónde están todos? Imagine your mother has come to visit campus and wants to meet all your friends and acquaintances, but everyone is away. Respond using the correct form of **estar** and the cues given. Then, listen and repeat the correct answer.

MODELO (*you hear*) ¿Y Raúl? (*you see*) en la biblioteca →
(*you say*) Raúl está en la biblioteca.

1. en el centro (*downtown*)
2. en el partido de basquetbol
3. en el gimnasio
4. en el parque
5. en casa
6. contigo

Práctica 2. Veo, veo (*I spy*). Follow the directions given to identify the correct object.

1. Está encima de la mesa. Está a la derecha del papel. Es ____.

   ☒ el libro de texto ☐ un lápiz

2. Está en su escritorio. Está lejos de la maestra. Está detrás de otra estudiante. Es ____.

   ☐ Alberto ☒ Antonia

3. Está a la izquierda de los estudiantes. Está a la derecha de la profesora. Es ____.

   ☐ la mesa ☒ el pizarrón

4. Están encima del escritorio de cada estudiante. Son ____.

   ☐ los libros de texto ☒ los papeles

5. Está encima de la mesa. Está cerca del papel. Es ____.

   ☐ el lápiz de Sergio ☐ el lápiz de la profesora

6. Están enfrente de la profesora. Son ____.

   ☐ los pizarrones ☒ los estudiantes

Práctica 3. Dando direcciones. Use **estar** and the prepositional phrases to describe where the following items are located on your campus.

cerca de	delante de	encima de	a la derecha de
lejos de	detrás de	debajo de	a la izquierda de

1. ¿Dónde está el edificio de administración?

   ____

2. ¿Dónde está la librería?

   ____

3. ¿Dónde está el gimnasio?

   ____

4. ¿Dónde está la cafetería?

   ____

5. ¿Dónde está la biblioteca?

   ____

6. ¿Dónde está ____________________?

   ____

Práctica 4. ¿Cómo está Adela hoy? Match each drawing of Adela to the description of how she is feeling.

a.

b.

c.

d.

e.

f.

1. __c__ Está irritada.
2. __F__ Está preocupada.
3. __b__ Está feliz.
4. __e__ Está asustada.
5. __a__ Está sorprendida.
6. __d__ Está enferma.

Práctica 5. Betty la fea. Complete each sentence with the correct form of **estar** to describe how the star of ***Yo soy Betty, la fea*** and the people she knows are feeling.

1. Yo estoy nerviosa.
2. Mi familia está muy contenta.
3. Mis amigos están alegres.
4. Mi director está cansado.
5. Nosotros estamos un poquito preocupados.
6. Ud. está triste porque no tiene (*you don't have*) una televisión.
7. Uds. están locos de alegría (*happiness*).
8. Y tú, ¿estás interesado/a en el programa *Yo soy Betty, la fea*?

2.4 The Present Progressive

Práctica 1. ¿Qué están haciendo todos? While taking a walk around campus, you run into one of your friends who wants to know what everyone is doing. Complete each sentence using the present progressive of the verb in parentheses to explain what everyone is doing.

1. Mi amigo Matías está comprando (**comprar**) ropa (*clothing*) en el centro.
2. Samuel y Elías están viendo (**ver**) el partido de basquetbol.
3. Carolina y Menchu están haciendo (**hacer**) ejercicio en el gimnasio.
4. Carmen esta leyendo (**leer**) en el parque.
5. Los profesores están trabajando (**trabajar**) en su casa.
6. Yo estoy hablando (**hablar**) contigo.
7. Nosotros estamos paseando (**pasear**) por el campus.
8. ¿Qué estás haciendo (**hacer**) tú?

Práctica 2. ¿Qué están haciendo? You will hear a series of questions about what the people in the drawings are doing. Answer each question using the present progressive, then listen to and repeat the correct answer.

MODELO (*you see*) Elisa
(*you hear*) ¿Qué está haciendo Elisa? →
(*you say*) Está nadando.

1. Pedro

2. Nora y Tanya

3. el Sr. Jiménez

4. Tito

5. Jaime

6. Adelina

Práctica 3. Ahora mismo. Use the present progressive form to write sentences about what these people are doing at this very moment. You may use verbs from the box or any other verb of your choosing.

andar	chatear	escribir	hablar	nadar	sacar
bailar	correr	escuchar	jugar	navegar	salir
cantar	enseñar	estudiar	leer	pasear	trabajar

1. Mi mamá _______________.
2. Mi papá _______________.
3. El presidente de este país _______________.
4. Mi profesor(a) de español _______________.
5. Mi compañero/a de cuarto _______________.
6. Mis amigos _______________.
7. Yo _______________.

Síntesis y repaso

Práctica 1. ¿Qué tiempo hace? Listen to the weather report on the radio for two different cities. Then answer the following questions using complete sentences. You may listen more than once if you like.

1. ¿Qué día de la semana es hoy? _______________
2. ¿Y qué mes es? _______________
3. ¿Qué tiempo hace en Guadalajara? _______________
4. ¿Cuál es la temperatura? Está a _______________
5. ¿Está nublado en Guadalajara? _______________
6. ¿Qué tiempo hace en Buenos Aires? _______________
7. ¿Cuál es la temperatura? Está a _______________
8. ¿Hace viento es Buenos Aires? _______________

Práctica 2. Escenas (*scenes*) de las estaciones. Listen to the three descriptions. Then circle the letter of the drawing which corresponds to each description. You may listen more than once if you like.

1. A B C

(*continúa*)

Práctica 3. Mis vacaciones (*vacation*). Listen as Jessica describes her ideal vacation, then answer the questions in complete sentences based on what you hear. You may listen more than once if you like.

VOCABULARIO PRÁCTICO

desde	since
hasta	until
voy de vacaciones	I'm going on vacation
el Caribe	Caribbean
el mar	sea

1. ¿Qué hace Jessica desde el otoño hasta la primavera?

   ____

2. ¿Cómo está Jessica en el invierno?

   ____

3. ¿Por qué le gusta a Jessica el verano?

   ____

4. ¿Qué actividades va a hacer Jessica en las vacaciones?

   ____

5. ¿Qué actividades *no* va a hacer?

   ____

Práctica 4. Una página Web.

PASO 1. Read the blog and answer the following questions. Don't worry if you don't understand every word. Use cognates and the structures you know as clues to find information.

http://artesania.blog.com

Artesanía Blog en Español

Inicio   Acerca de[a]   Contacto

Delicadas imágenes...

Una entrevista con Lidia Tinieblas
Publicado en: Ilustraciones; Talentos y artistas
Autora: Paulina

Paulina: ¿Cómo te llamas?
Lidia: Me llamo Lidia Tinieblas, y en el mundo del Internet me conocen[b] como Litín.

P: ¿De dónde eres?
L: Soy de Cancún, México, pero ahora vivo en Madrid.

P: ¿Qué puedes contarnos[c] sobre tí?
L: Estudié[d] la carrera de antropología en la Universidad Nacional Autónoma de México, pero me gustó[e] el mundo de la ilustración y decidí[f] estudiar bellas artes. Ahora no imagino mi vida sin dibujar y crear.[g] Espero algún día poder vivir exclusivamente de la ilustración.

P: ¿De dónde vienen[h] tus ideas?
L: Cualquier cosa[i] resulta inspiradora. Todas las situaciones pueden crear una historia, sólo hay que estar atenta.[j]

P: ¿Cómo entrastes al mundo artístico-creativo?
L: Supongo que siempre he estado[k] dentro del mundo artístico-creativo. Conservo dibujos de cuando era[l] pequeña. Un día tu hobby se convierte en tu profesión casi sin darte cuenta[m] ¡Y qué feliz día!

P: ¿Solo te dedicas a la actividad creativa?
L: Trabajo por las mañanas en un estudio de escenografía. Es otro trabajo que requiere la creatividad. Además[n] de la ilustración.

Usuarios en línea
5 Usuarios en línea

Categorias
- Accesorios (3)
- Arte y pintura (8)
- Editorial (14)
- Guía de regalos (4)
- Ilustraciones (4)
- Joyería (16)
- Mis creaciones (3)
- Negocios (17)
- Publica tu testimonio (10)
- Talentos y artistas (75)
- Tejido (11)
- Textil (5)
- Universo de blogs (4)

[a]acerca... *about* [b]me... *I'm known as* [c]tell us [d]*I studied* [e]me... *I liked* [f]*I decided* [g]dibujar... *draw and create* [h]*come* [i]cualquier... *Anything* [j]sólo... *you just have to pay attention* [k]siempre... *I have always been* [l]*I was* [m]sin... *without noticing* [n]Además... *Besides*

1. ¿Cómo se llama la persona que escribe el blog? ________________
2. ¿De dónde es la artista? ________________
3. ¿Dónde estudia ilustración? ________________
4. ¿Qué desea hacer con sus ilustraciones? ________________
5. ¿Dónde trabaja por las mañanas? ________________

(continúa)

PASO 2. Now skim the structure of the page and answer the following questions.

6. ¿Cómo se llama la página Web? ______________________________
7. Para escribir un e-mail a esta página Web, ¿en qué palabra hace clic? ______________
8. ¿Cuántas personas están en línea? ______________________________
9. ¿Qué categoría de blog debe usar para publicar (*publish*) su opinión? ______________

Palabra escrita

A finalizar

You are now going to write your final composition, based on the first draft you wrote in the **Palabra escrita: A comenzar** section of your textbook. Remember that the theme for your composition is **La pasión por los deportes** and that your purpose is to tell the reader about what sports are popular in your area.

Práctica 1. El borrador. Review the first draft of your composition and ask yourself if you've adequately answered these questions.

1. ¿Cuáles son los deportes más populares en este país? ¿en su estado o provincia?
2. ¿Qué deportes practica Ud.?
3. ¿Qué deportes le gusta mirar en la televisión?
4. ¿Qué otras actividades deportivas hace Ud.?
5. ¿Qué actividad deportiva va a hacer el fin de semana que viene?

Práctica 2. El vocabulario y la estructura. Review the vocabulary and grammar sections of this chapter, and consider these questions about your composition.

1. Have you included information to answer the questions in **Práctica 1?**
2. Is the vocabulary appropriate?
3. Have you used the correct forms for irregular verbs such as **hacer** and **ver?** Have you used **ir** + **a** + *infinitive*?
4. Do the verb forms agree with their subjects?
5. Do adjectives agree with the nouns they modify?

Práctica 3. ¡Ayúdame, por favor! Have a classmate read your composition and suggest changes or improvements, and do the same for him/her.

Práctica 4. El borrador final. Rewrite your composition and hand it in to your instructor.

Capítulo 3

TEMA I: Las obligaciones y los quehaceres

Vocabulario del tema

Práctica 1. Quehaceres necesarios. Write the chores that need to be done in each room.

arreglar el cuarto	lavar los platos	planchar la ropa	sacar la basura
hacer la cama	pasar la aspiradora	quitar la mesa	trapear

1. En la cocina, necesitamos….

   ____

   ____

   ____

   ____

2. En el dormitorio (*bedroom*), necesitamos…

   ____

   ____

   ____

   ____

Práctica 2. Los aparatos domésticos. Match each household appliance to its use.

1. _____ la aspiradora
2. _____ la secadora
3. _____ el horno
4. _____ la lavadora
5. _____ el lavaplatos

a. cocinar
b. lavar los platos
c. secar la ropa
d. lavar la ropa
e. limpiar el piso

Gramática

3.1 Deber/Necesitar + infinitive

Práctica 1. Obligaciones.

PASO 1. Indicate the things you should do on a typical day.

☐ Debo asistir a clase por la tarde.
☐ Debo sacar un DVD de Blockbuster.
☐ Debo ir al gimnasio.
☐ Debo hacer la cama.
☐ Debo comer más fruta.
☐ Debo lavar los platos.
☐ Debo mirar los partidos de fútbol americano en la televisión.
☐ Debo estudiar por tres horas.

PASO 2. Now indicate the things you need to do today or tomorrow.

☐ Necesito trabajar dos horas o más.
☐ Necesito buscar un libro en la biblioteca.
☐ Necesito hablar con mi profesor(a) de español.
☐ Necesito correr tres millas.
☐ Necesito arreglar el cuarto.
☐ Necesito escuchar la lección de español en el laboratorio o por Internet.
☐ Necesito lavar la ropa.
☐ Necesito barrer el piso.

Práctica 2. ¿Qué debemos hacer? Write original sentences using **deber** or **necesitar** + *infinitive* to tell what everyone should do. Use verbs from the list.

aprender	comer	creer	leer	recibir
asistir	comprar	hacer	limpiar	trabajar

MODELO Todos debemos jugar un deporte.

1. Todos ____.
2. Todos ____.
3. Todos ____.
4. Todos ____.
5. Todos ____.

3.2 Tener, venir, preferir, and querer

Práctica 1. Expresiones con *tener*. Read the explanations and decide which **tener** expression best describes the situation. **¡OJO!** Don't forget to conjugate **tener.**

tener + calor / éxito / frío / miedo / razón / prisa / suerte / sueño

1. Hoy es un día increíble. A las once de la mañana, recibo una llamada de Bill Gates. Él quiere trabajar conmigo en un proyecto que estoy haciendo para mi clase de informática. También, él me va a pagar un millón de dólares por mi trabajo. Yo ______________________.
2. Hoy Pedro necesita hacer muchas cosas antes de ir al trabajo: tiene que lavar los platos a mano, tiene que dar de comer (*feed*) al perro, tiene que sacar la basura y tiene que leer un artículo sobre la literatura medieval. Pedro sólo tiene media hora para hacer todas estas cosas. Pedro ______________________.
3. Nosotros estamos sufriendo. Hace mucho sol, la temperatura es de 35 grados y estamos en el campo jugando con los niños. Nosotros ______________________.
4. Carolina estudia mucho. Ella estudia en la biblioteca cuarenta horas cada semana. Ella siempre lee todas las lecciones y hace la tarea. Beto estudia mucho también. Él busca información para sus clases y estudia en el café todas las tardes. Carolina y Beto siempre tienen notas muy buenas. Carolina y Beto ______________________ en sus estudios.
5. No te gusta patinar en línea. Patinando en línea, una persona tiene una alta velocidad y tú no quieres caerte (*fall down*). Tú ______________________.

Práctica 2. Una voluntaria del Cuerpo de Paz (*Peace Corps*). Complete the following paragraph with the correct form of **tener, venir, preferir,** and **querer.**

Mi día es muy interesante. En la mañana yo ______________[1] que hacer la cama. En Chiapas hay muchos escorpiones y nosotros los ______________[2] mucho miedo, por eso limpiamos muy bien todos los días. Hay una mujer simpática que ______________[3] a mi casa para ayudarme a limpiar. Yo ______________[4] pagarle cinco dólares por hora, pero ella ______________[5] recibir libros y no dinero.

Después de limpiar la casa, los niños ______________[6] para leer libros conmigo. Ellos ______________[7] leer libros de aventuras, pero yo ______________[8] las novelas clásicas para ellos.

Por la tarde, yo ______________[9] mucho calor. ______________[10] tomar una siesta y no hacer nada. Por las noches, siempre me gusta salir y pasear por el pueblo.

Práctica 3. ¿Qué tiene? ¿Qué prefiere? ¿Qué quiere? Listen to the following survey questions and the most popular answers. Use the answers to form complete sentences. Then listen and repeat the correct answer.

1. sí 2. Perú 3. sí 4. calor 5. salir con mis amigos 6. muchos 7. no 8. sí
9. no 10. barrer el piso

Práctica 4. Nota comunicativa: *Tener que* + infinitive. Describe what each person or group of people has to do based on the situation given. Use **tener que** + *infinitive*. **¡OJO!** There may be more than one possible answer.

1. El piso está sucio. Mariana ______________________.
2. La basura está llena (*full*). Yo ______________________.
3. Todos los platos están sucios. Nosotros ______________________.
4. Toda la ropa está arrugada (*wrinkled*). Tú ______________________.
5. Estas toallas (*towels*) están mojadas (*wet*). Las niñas ______________________.
6. ¿Ud. no tiene ropa limpia? Ud. ______________________.

Síntesis y repaso

Práctica 1. Los quehaceres de una familia. Listen to the description of each member of the family. Then underneath each drawing, write the name of the person who should complete that chore.

VOCABULARIO PRÁCTICO

el miembro member

1. ______________
2. ______________
3. ______________
4. ______________
5. ______________
6. ______________
7. ______________
8. ______________
9. ______________
10. ______________

Práctica 2. Las obligaciones de Ana. Listen to the dialogue between Ana and her friend Jon. Based on the information you hear, indicate whether each statement is **cierto (C)** or **falso (F)**.

VOCABULARIO PRÁCTICO

responsabilidad responsibility

	C	F
1. Ana tiene obligaciones en la casa.	☐	☐
2. Ana trabaja en el jardín los miércoles.	☐	☐
3. Jon va a comer en el restaurante italiano.	☐	☐
4. Ana no quiere salir con sus amigos.	☐	☐
5. Ana debe limpiar la casa hoy.	☐	☐

Práctica 3. Quehaceres preferidos (*preferred*). Listen to the description of Roberto and his chores and answer the questions in complete sentences based on what you hear.

VOCABULARIO PRÁCTICO

afuera outside
por eso therefore

1. ¿Qué necesita hacer Roberto afuera?

   ____

2. ¿Por qué no quiere trabajar afuera hoy?

   ____

3. ¿Qué prefiere hacer hoy?

   ____

4. ¿Qué va a hacer por la mañana?

   ____

5. ¿Qué va a hacer por la tarde?

   ____

Práctica 4. Cleaning Wizards, LLC.

PASO 1. Read the paragraph about a small business in Oregon.

Cleaning Wizards, LLC, es una empresa de limpieza[a] que ofrece limpieza «verde», o natural, para casas, apartamentos y empresas pequeñas. Las dueñas,[b] Idolina, Gabriela y Margarita, son de Michoacán, México. Participan en el programa para adultos que se llama «Adelante,[c] mujeres». En 2007, fundaron[d] su empresa de limpieza para apoyar[e] a sus familias económicamente.[f] Cleaning Wizards ofrece una variedad de servicios: arreglar, limpiar, sacudir el polvo, barrer el piso, trapear, limpiar los baños, limpiar las ventanas y otras cosas. Estas mujeres prefieren usar productos orgánicos y no tóxicos, para proteger la naturaleza de Oregón.[g]

[a]empresa... *cleaning company* [b]*owners* [c]*Forward!* [d]*they founded* [e]*support* [f]*economically* [g]proteger... *protect Oregon's nature*

PASO 2. Circle the correct answer based on the reading in **Paso 1. ¡OJO!** There may be more than one correct answer.

1. ¿Dónde trabajan las mujeres de Cleaning Wizards?
   a. en las casas b. en empresas grandes c. en empresas pequeñas
2. ¿De qué lugar son las mujeres de esta empresa?
   a. Oregón b. México c. Adelante
3. ¿En qué programa participan Idolina, Gabriela y Margarita?
   a. «Arriba, mujeres» b. «Adelante, mujeres» c. «Delante de las mujeres»
4. ¿Para quiénes trabajan Idolina, Gabriela y Margarita?
   a. para su familia b. para «Adelante, mujeres» c. para una empresa grande
5. ¿Cuál es una cosa que *no* hace Cleaning Wizards?
   a. sacudir los muebles b. limpiar las ventanas c. cortar el césped
6. ¿Qué clase de productos de limpieza usan?
   a. productos orgánicos b. productos naturales c. productos tóxicos

PASO 3. To make some extra money, you plan to establish a cleaning service in your area. Answer the following questions about your cleaning service.

1. ¿Cómo se llama su empresa? ____________________
2. ¿Qué clase de productos quiere usar? ____________________
3. ¿Qué servicios va a ofrecer? ____________________
   ____
   ____
   ____
4. ¿A qué horas prefiere trabajar? ____________________

Pronunciación

Stress Rules and Written Accent Marks

Most Spanish words follow two simple rules for pronouncing words with correct stress:

1. If a word ends in **s, n,** or a vowel, the stress is on the next-to-the-last syllable, for example, **mar-tes** and **pro-gra-ma**
2. If a word ends in any other consonant, the stress falls on the final syllable of the word, for example, **ju-gar** and **a-ni-mal**

Práctica 1. Repeticiones. Repeat the following words ending in **s, n,** or a vowel, imitating the speaker. Pay close attention to which syllable receives the spoken stress.

1. nom-bre
2. cin-co
3. cua-der-no
4. me-nos
5. lu-nes
6. ha-blan

Práctica 2. Más repeticiones. Repeat the following words, imitating the speaker. Pay close attention to which syllable receives the spoken stress.

1. pro-fe-sor
2. pa-pel
3. hos-pi-tal
4. ha-blar
5. a-bril
6. us-ted

Most words in Spanish follow these two rules. Words that follow a different stress pattern require a written accent (**el acento ortográfico**).

For example, the word **fútbol** ends in the consonant **l** but the stress is on the next-to-last, not the last syllable, therefore it is spelled with a written accent mark: **fút-bol.**

Accents are also required in the following situations:

- When the stress falls on the third-to-last syllable, such as in **matemáticas** or **bolígrafo,** the stressed syllable requires a written accent, regardless of the final letter.
- If two successive vowels do not form a dipthong, such as in **biología** or **día,** the stressed vowel requires a written accent mark.
- If two successive vowels form a dipthong, such as in **acción** or **también,** the stronger vowel (**a, o,** or **e**) receives the stress, and therefore requires a written accent.

Práctica 3. El acento ortográfico. Listen and repeat each word containing a written accent. Notice that the stress falls where the accent mark is written.

1. es-tás
2. sá-ba-do
3. in-glés
4. me-**nú**
5. béis-bol
6. cés-ped

Práctica 4. ¿Acento ortográfico o no? Listen to the pronunciation of the following words, which are probably unfamiliar to you. Based on what you know about stress rules and written accents, decide if each word requires an accent or not. Write accents over the vowels that need them. The words are divided into syllables for you.

1. a-qui
2. del-ga-do
3. ma-tri-cu-la
4. es-ta-dis-tica
5. chim-pan-ce
6. sim-pa-ti-co
7. a-le-ma-nes
8. ac-ti-tud

Práctica 5. Dictado. You will hear a list of words that require an accent mark. Listen to each word and then spell it. Be sure to write in the accent mark where it belongs.

1. ____________
2. ____________
3. ____________
4. ____________
5. ____________
6. ____________
7. ____________
8. ____________
9. ____________
10. ____________
11. ____________
12. ____________
13. ____________
14. ____________
15. ____________

TEMA II: El tiempo libre

Vocabulario del tema

Práctica 1. Distracciones saludables (*healthy*). Read the description of how each person is feeling and indicate which activity would most likely improve his/her mood or physical state.

1. Juan está enfermo y tiene frío. Juan debe…
   a. levantar pesas. b. tomar medicina.
2. Lisa está aburrida y quiere ver a sus amigos. Lisa debe…
   a. ir al cine. b. mirar la televisión.
3. Eric está muy cansado. Eric debe…
   a. tomar una siesta. b. correr.
4. Alita está enojada. Alita debe…
   a. practicar yoga. b. jugar al billar.

Práctica 2. ¿Qué quiere hacer Ben? Look at the calendar of activities that Ben wants to do this week. Complete each sentence with the name of the activity that he wants to do.

1. El lunes, Ben quiere ______________________________.
2. El martes, Ben quiere ______________________________.
3. El miércoles, Ben quiere ______________________________.
4. El jueves, Ben quiere ______________________________.
5. El viernes, Ben quiere ______________________________.
6. El sábado, Ben quiere ______________________________.
7. El domingo, Ben quiere ______________________________.

Gramática

3.3 More Stem Changing Verbs

Práctica 1. Los verbos.

1. Underline the stem vowel that will change to **ie.**
   a. pensar b. perder c. cerrar d. empezar e. entender
2. Underline the stem vowel that will change to **ue.**
   a. jugar b. almorzar c. dormir d. volver e. poder
3. Underline the stem vowel that will change to **i.**
   a. repetir b. pedir c. servir d. seguir

Práctica 2. ¿Qué hacemos hoy? Complete the following conversation with the correct form of the verbs in parentheses.

VÍCTOR: ¿Qué tal, Esteban?

ESTEBAN: Bien. ¿Qué ____________[1] (*tú:* pensar) que debemos hacer hoy?

VÍCTOR: Yo no ____________[2] (querer) perder tiempo hablando. ____________[3] (*Yo:* Cerrar) la puerta y nos vamos.

ESTEBAN: Está bien, pero yo no ____________[4] (entender) adónde vamos.

VÍCTOR: El partido de vólibol ____________[5] (empezar) a las once y ya son las diez menos diez.

ESTEBAN: Hombre, yo no _______________[6] (poder) ver jugar a nuestro equipo. ¡Ellas siempre _______________[7] (perder)!

VÍCTOR: ¡Qué actitud! Nuestra amiga Lilia _______________[8] (jugar) en el equipo. _______________[9] (*Yo:* Pensar) que debemos asistir a los partidos para darles ánimo a las jugadoras.[a]

ESTEBAN: _______________[10] (*Tú:* Tener) razón.[b] Vamos. Pero después del partido, _______________[11] (*nosotros:* almorzar) en el centro.[c]

VÍCTOR: Sí, claro. _______________[12] (*Nosotros:* Poder) ir a ese café nuevo, cerca del parque. Creo que hoy lo vamos a pasar muy bien.[d]

[a]darles... *encourage the players* [b]tener... *to be right* [c]*downtown* [d]lo... *we're going to have a good time*

Práctica 3. Actividades de un día.

PASO 1. Refer to Rodolfo's schedule to answer the following questions. Use complete sentences.

LUNES	
8:00	*desayunar*
9:30	*clases*
12:15	*almorzar*
1:00	*llamar a mi novia*
2:30	*clase*
4:00	*rugby*
6:00	*cenar*
7:00	*estudiar*
11:30	*dormir*

1. ¿A qué hora almuerza? _______________
2. ¿Qué puede hacer después de almorzar? _______________
3. ¿A qué hora vuelve a clase en la tarde? _______________
4. ¿Qué deporte juega a las cuatro? _______________
5. ¿A qué hora duerme finalmente? _______________

PASO 2. Now answer similar questions about your schedule.

1. ¿A qué hora almuerza Ud.?

____

2. ¿Qué puede Ud. hacer después de almorzar?

____

(*continúa*)

3. ¿A qué hora vuelve Ud. a clase en la tarde?

____

4. ¿Qué deporte juega Ud.?

____

5. ¿A qué hora duerme Ud. finalmente?

____

Práctica 4. Grupo de estudio. Complete the dialogue with the correct conjugation of the verb in parentheses.

JUANA: Hola, Natalia, Jorge y Fátima. Por favor, entren.[a]

FÁTIMA: Estamos listos[b] para estudiar la lección de hoy.

NATALIA: ¿Estudiamos aquí o vamos al café de la esquina?[c] ____________[1] (*Ellos:* Servir) café muy rico allí.

JORGE: Pero, ¿____________[2] (*nosotros:* poder) conseguir una mesa a esta hora?

NATALIA: Jorge, tú ____________[3] (poder) ir al café. Si ____________[4] (conseguir) una mesa, nos llamas. Si no, ____________[5] (pedir) cuatro cafés con leche.

FÁTIMA: Yo ____________[6] (querer) ir con Jorge porque prefiero tomar té.

NATALIA: ____________[7] (*Yo:* Pensar) pedir un sándwich también. Tengo hambre.

JUANA: Yo no ____________[8] (entender). ¿Vamos a estudiar o no?

NATALIA: Tienes razón. Debemos estudiar aquí por unas horas y comer después.

[a]*come in* [b]*ready* [c]de... *on the corner*

Práctica 5. La vejez. Listen as different people state which activities they continue to do now that they're older. You'll hear each sentence twice. Restate the sentence using the names given, then repeat the correct answer.

MODELO (*you hear*) Sigo bailando el tango. (*you see*) Ernesto →
(*you say*) Ernesto sigue bailando el tango.

1. Isabel 2. Rodrigo 3. José y Paco 4. Dayana 5. Armando 6. Lourdes y Juan

3.4 The Verbs **saber** and **conocer**

Práctica 1. Los usos de *saber* y *conocer*. Indicate the use of **saber** and **conocer** for each sentence. Write the letter of the correct use.

SABER
a. knowing facts or specific bits of information
b. knowing how to do a skill

CONOCER
c. familiarity with things
d. having been to a place
e. knowing people
f. meeting somebody for the first time

1. _____ Conozco a tu papá.
2. _____ Sabemos dónde vives.
3. _____ Ellos conocen Idaho.
4. _____ Hoy voy a conocer al nuevo profesor.
5. _____ No sé la respuesta correcta.
6. _____ Uds. saben bailar la salsa.
7. _____ Conozco las películas de Almodóvar.
8. _____ Sé hablar japonés.
9. _____ Sé que te gusta esta clase.
10. _____ ¿Conoces los poemas de Poe?
11. _____ Ellos saben que tú eres antipático.
12. _____ Vosotros conocéis Florida.

Práctica 2. ***¿Saber* o *conocer*?** Complete each statement using the correct conjugation of **saber** or **conocer.**

1. Yo ____________________ jugar al billar.
2. Nosotros ____________________ a Sammy Sosa. Le hablamos después de un partido de béisbol.
3. Tú ____________________ que Vicente Fox es el ex presidente de México.
4. Aliana y tú ____________________ mi número de teléfono.
5. Ellos ____________________ la música de Selena.
6. Ella ____________________ hacer *snowboarding*. Practica el deporte desde los 2 años.
7. Yo ____________________ Baja California.
8. Tú ____________________ a la mujer que limpia mi residencia.
9. ¿____________________ tú cuáles son las horas de oficina del profesor?
10. Tú y Carlos ____________________ la literatura española.

Práctica 3. ¿Qué sabe Ud.? ¿Qué conoce Ud.? Answer the following questions, according to the responses given. Then listen and repeat the correct answer.

1. no 2. sí 3. sí 4. no 5. no 6. sí 7. no 8. sí 9. sí 10. no 11. sí 12. sí

Práctica 4. Nota comunicativa: The Personal *a*.

PASO 1. Underline the direct object in each sentence. Then indicate whether or not the direct object is a person.

	SÍ	NO
1. No conozco a tu profesor de química.	☐	☐
2. Practico muchos deportes.	☐	☐
3. Limpiamos la casa los sábados.	☐	☐
4. ¿Conoces a mi mejor amigo?	☐	☐

PASO 2. Complete each sentence with an **a personal** if needed. Write *x* if the **a** is not needed.

1. Conozco _____ una persona famosa.
2. ¿Sabes _____ el apellido de Isabel?
3. No conozco _____ las novelas de Carlos Ruiz Zafón.
4. Nosotros conocemos bien _____ los instructores de yoga.

Síntesis y repaso

Práctica 1. ¿Qué prefieres hacer? Listen to the conversation between Rocío and Carlos. Then indicate the correct word(s) to complete each sentence based on their conversation. You may listen more than once if you like.

VOCABULARIO PRÁCTICO

¡Qué pena! That's too bad!
algo something
relajante relaxing

1. Carlos está irritado porque tiene que ______.
   a. estudiar b. limpiar la casa c. levantar pesas d. tomar copas
2. Cuando va al cine, Carlos está ______.
   a. contento b. enojado c. triste d. emocionado
3. Hoy, Carlos prefiere ______.
   a. hacer la cama b. tomar una siesta c. hacer ejercicio d. tomar copas
4. Hoy, Rocío está ______.
   a. cansada b. emocionada c. irritada d. enojada
5. Hoy, Rocío y Carlos van a tomar ______.
   a. una siesta b. clases c. copas d. una sauna

Práctica 2. Las actividades perfectas.

PASO 1. Write the name of each activity depicted.

1. ____________ 2. ____________ 3. ____________ 4. ____________ 5. ____________

PASO 2. Listen to the descriptions of María, Alisa, and Susan. Then indicate which activities from **Paso 1** would be most suited to each person. Answer each question using a complete sentence.

VOCABULARIO PRÁCTICO

vive sola lives alone

1. ¿Qué debe hacer María?

   ____

2. ¿Qué debe hacer Alisa?

   ____

3. ¿Qué debe hacer Susana?

   ____

Práctica 3. Un día interesante. First, indicate whether each activity listed is **una obligación** or **una distracción.** Then listen to the description of Eduardo's day and put the activities in order (from 1 to 12) based on what you hear.

			OBLIGACIÓN	DISTRACCIÓN
1.	____	ir al cine	☐	☐
2.	____	quitar la mesa	☐	☐
3.	____	comer un sándwich	☐	☐
4.	____	tomar una siesta	☐	☐
5.	____	pasar la aspiradora	☐	☐
6.	____	hacer yoga	☐	☐
7.	____	hacer la cama	☐	☐
8.	____	sacar la basura	☐	☐
9.	____	tomar café	☐	☐
10.	____	jugar al dominó	☐	☐
11.	____	lavar los platos	☐	☐
12.	____	jugar a las cartas	☐	☐

Práctica 4. El ejercicio frente al estrés.

PASO 1. Read the following health article.

¿Estás ansioso? ¿Estás estresado? ¿Estás preocupado? ¿Estás cansado? El ejercicio puede animarte[a] y ayudarte.[b] Con el ejercicio aeróbico puedes reducir la ansiedad[c] hasta en un 50 por ciento.[d] Hay cuatro beneficios más que Ud. debe saber.

1. El ejercicio mejora el humor.[e] El ejercicio aeróbico produce sustancias químicas que te hacen sentir contento.
2. También te da[f] mucha energía. Si tienes más energía, puedes hacer todas las cosas que debes hacer en el día. Las personas estresadas están deprimidas[g] y cansadas durante el día. Cuando haces ejercicio por la mañana, mantienes[h] la energía todo el día.

[a]*cheer you up* [b]*help you* [c]*anxiety* [d]hasta… *up to fifty percent* [e]mejora… *improves your mood* [f]te… *it gives you* [g]*depressed* [h]*you maintain*

(*continúa*)

3. El ejercicio te ayuda[i] a dormir bien. El sueño refresca la mente[j] y te ayuda a organizar mejor la información del día.
4. El ejercicio abre la mente para pensar mejor. Si estás preocupado, no puedes solucionar bien un problema. El ejercicio ayuda con la concentración y aclara[k] la mente. Puedes pensar sin distracciones.

Si no puedes hacer ejercicio aeróbico, siempre puedes hacer ejercicios como el yoga o Pilates. ¡Debes empezar una nueva rutina mañana!

[i]te... *helps you* [j]refresca... *refreshes your mind* [k]*clears*

PASO 2. Answer the following questions about the article in **Paso 1.**

1. Según el artículo, si estás estresado, debes ____.

   a. tomar té de hierbas (*herbal*) b. hacer ejercicio aeróbico c. dormir

2. El ejercicio aeróbico puede reducir la ansiedad en un ____.

   a. 25 por ciento b. 40 por ciento c. 50 por ciento

3. ¿Qué idea *no* se menciona en el artículo? El ejercicio ____.

   a. mejora el humor b. refresca la mente c. te hace más guapo/a

4. ¿Qué debes hacer mañana?

   a. dormir más b. empezar una nueva rutina c. beber Red Bull

PASO 3. Design a new exercise routine for yourself. Mention what types of exercises you will do, what time of day you will do them, and how many days per week. Tell why you are choosing this type of exercise and what you will do to ensure success.

____

____

____

____

____

____

____

Palabra escrita

A finalizar

You are now going to write your final composition, based on the first draft you wrote in the **Palabra escrita: A comenzar** section of your textbook. Remember that the theme for your composition is **Las obligaciones y los quehaceres** and that your purpose is to tell the reader about the things that your classmates and you have to do or should do in a typical week.

Práctica 1. El borrador. Review the first draft of your composition and ask yourself if you've adequately identified the following.

1. los quehaceres que a mí y a mis compañeros no nos gustan
2. los quehaceres que preferimos hacer
3. las cosas que tenemos que hacer en una semana típica
4. las cosas que debemos hacer en una semana típica

Práctica 2. El vocabulario y la estructura. Review the vocabulary and grammar sections of this chapter and consider these questions about your composition.

1. Have you included information to answer the questions in **Práctica 1?**
2. Is the vocabulary appropriate?
3. Have you used expressions of obligation such as **deber / necesitar / tener que** + *infinitive* correctly? Have you checked the spelling of irregular verbs?
4. Do the verb forms agree with their subjects?
5. Do adjectives agree with the nouns they modify?

Práctica 3. ¡Ayúdame, por favor! Have a classmate read your composition and suggest changes or improvements, and do the same for him/her.

Práctica 4. El borrador final. Rewrite your composition and hand it in to your instructor.

Nombre ______________________ *Fecha* ______________ *Clase* ______________

Capítulo 4

TEMA I: La familia tradicional

Vocabulario del tema

Práctica 1. El árbol genealógico. Mire el árbol genealógico y complete cada una de las oraciones con la relación familiar apropiada.

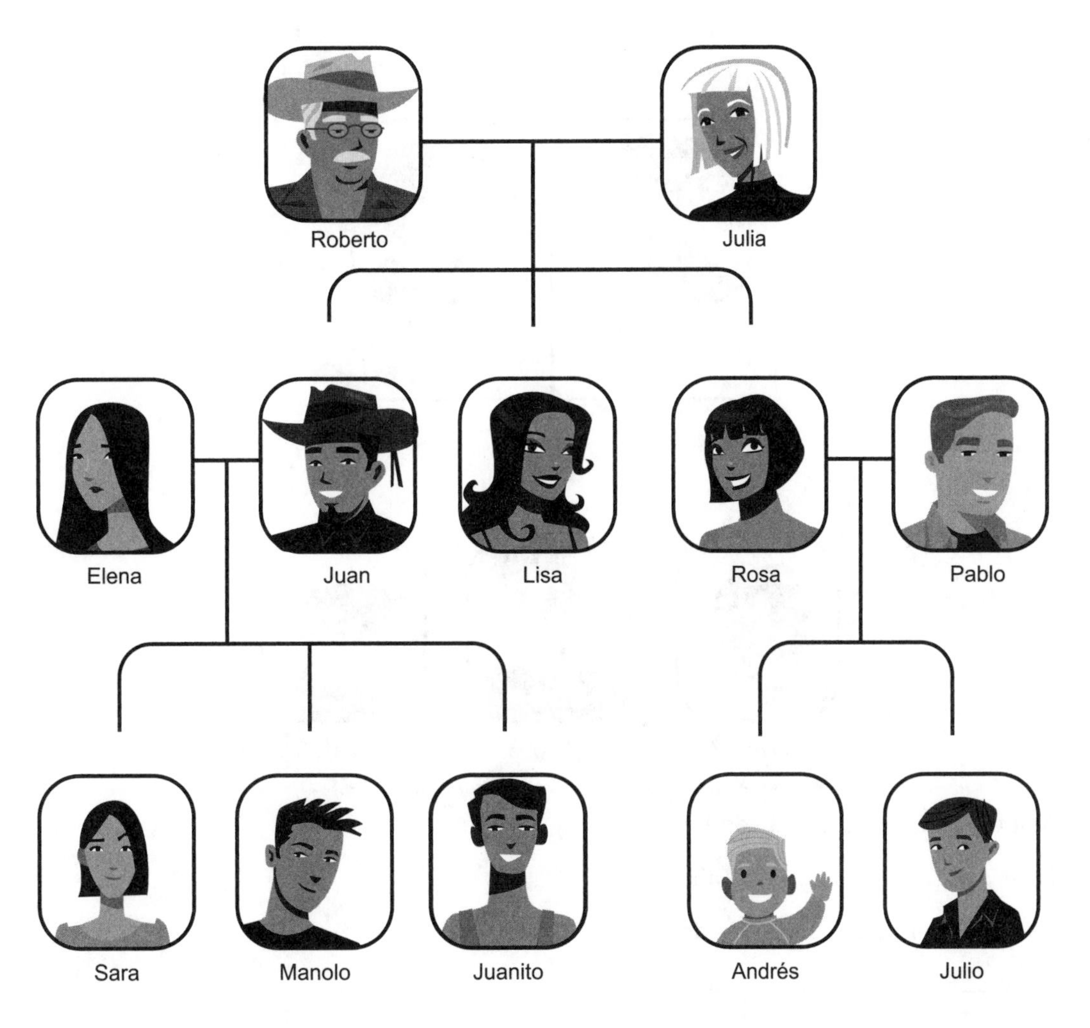

1. Pablo es el ______________ de Manolo.
2. Elena es la ______________ de Manolo.
3. Julia es la ______________ de Sara.
4. Pablo es el ______________ de Roberto.
5. Julio es el ______________ de Juanito.
6. Juanito es el ______________ de Rosa.
7. Juan es el ______________ de Lisa.
8. Julia es la ______________ de Elena.
9. Andrés es el ______________ de Rosa.
10. Lisa es la ______________ de Elena.
11. Sara es la ______________ de Roberto.
12. Roberto es el ______________ de Julia.

Práctica 2. ¿Cuántos años tiene? Mire el árbol genealogico de Leo y escriba las relaciones familiares y las edades (*ages*) de cada persona.

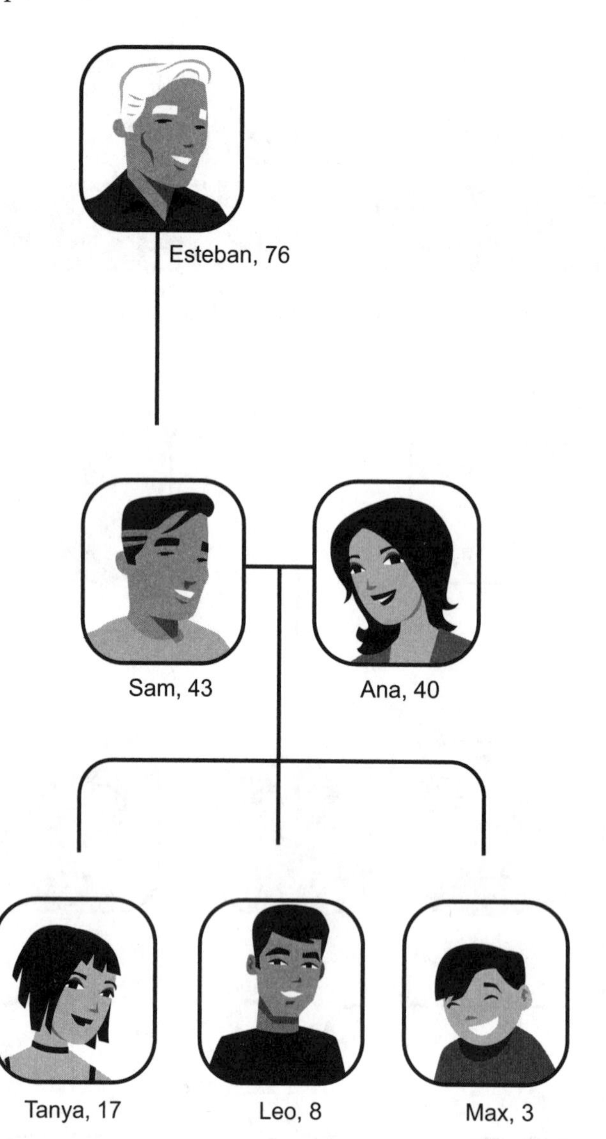

1. Ana es la ________________ de Leo.

   Tiene ______________________ años.

2. Esteban es el ________________ de Leo.

   Tiene ______________________ años.

3. Tania es la ________________ de Leo.

   Tiene ______________________ años.

4. Sam es el ________________ de Leo.

   Tiene ______________________ años.

5. Max es el ________________ de Leo.

   Tiene ______________________ años.

Práctica 3. Descripciones de una familia. Indique si las oraciones son **ciertas** (**C**) o **falsas** (**F**), según el árbol genealógico y las descripciones. Si la oración es falsa, corríjala.

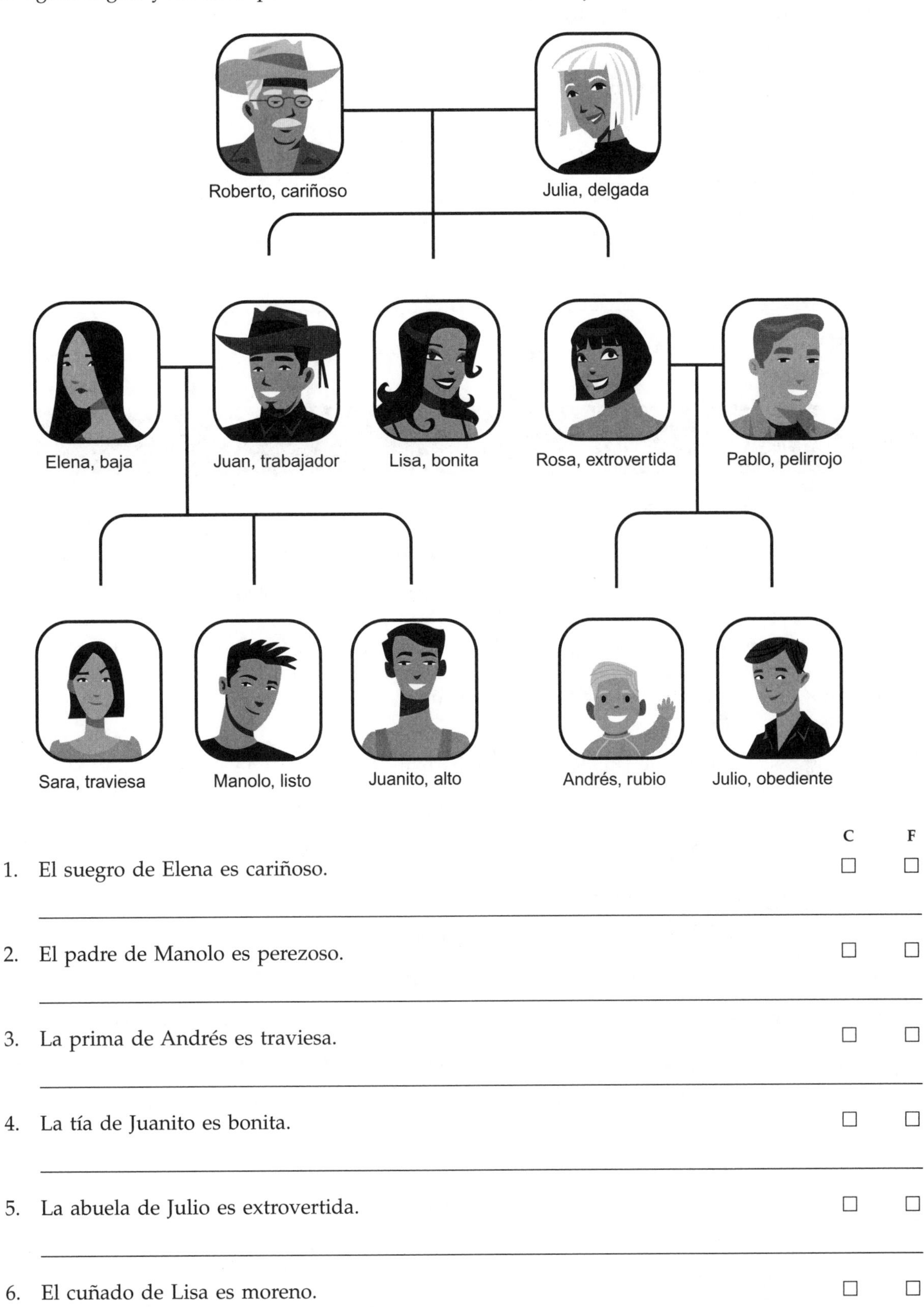

		C	F
1.	El suegro de Elena es cariñoso.	☐	☐
2.	El padre de Manolo es perezoso.	☐	☐
3.	La prima de Andrés es traviesa.	☐	☐
4.	La tía de Juanito es bonita.	☐	☐
5.	La abuela de Julio es extrovertida.	☐	☐
6.	El cuñado de Lisa es moreno.	☐	☐

Práctica 4. Nota comunicativa: Asking Someone's Age with tener. Listen to Prince Felipe of Spain as he describes the members of his family, then write the ages of the people as you listen. **¡OJO!** Don't forget to include the correct conjugation of **tener** in your answer. You will hear the description twice.

¿Cuántos años tiene(n)?

1. El Rey Juan Carlos y la Reina Sofía ______________________.
2. La Infanta Elena ______________________.
3. La Infanta Cristina ______________________.
4. La Infanta Leonor ______________________.
5. La Infanta Sofía ______________________.
6. Letizia ______________________.
7. Felipe, El Príncipe de Asturias ______________________.

Gramática

4.1 Por and para

Práctica 1. Los usos. Indique los usos de **por** y **para** en cada oración. Use cada respuesta una vez.

POR	PARA
a. period of the day	f. to express *in order to*
b. mode of transportation	g. *for whom/what* something is destined to be given
c. mode of communication	h. to express *toward* or in the direction of
d. movement through or along	i. to express deadlines
e. fixed expression	

1. _____ Estos zapatos de tenis son para mi hermano.
2. _____ Por fin, mi hermano quiere empezar a correr conmigo.
3. _____ Mi hermano y yo vamos a hacer ejercicio por las mañanas.
4. _____ Vamos a correr por el parque.
5. _____ Después, debemos salir para la universidad.
6. _____ Tenemos que estar listos para las nueve porque tengo clase.
7. _____ En nuestra universidad, hay mucho tráfico y es mejor llegar caminando o por autobús.
8. _____ Voy a llamar a mi hermano por teléfono.
9. _____ ¡Tengo que llamar a mi hermano para recordarle (*remind him*) que mañana empezamos nuestra nueva rutina!

Práctica 2. Preguntas personales. Answer the following questions about your college life in complete sentences using the phrases suggested. Then listen and repeat a possible answer.

MODELO (*you hear*) ¿Por cuánto tiempo estudias los sábados?
(*you see*) por tres o cuatro horas →
(*you say*) Estudio por tres o cuatro horas los sábados.

1. por la noche
2. por teléfono
3. por autobús
4. porque es importante
5. para mañana
6. para conseguir (*get*) un trabajo bueno

Práctica 3. Los planes. Complete the conversation between Fermín and Norma Ochoa about a month-long trip to the Canary Islands for a family vacation using **por** or **para.**

FERMÍN: _________[1] favor, Norma. No es necesario viajar[a] _________[2] barco.[b] Es mucho mejor ir _________[3] avión.[c] Es más rápido, y además, viajar _________[4] barco me enferma.[d]

NORMA: Fermín, estas vacaciones no son sólo _________[5] ti, son _________[6] toda la familia. Creo que nuestras hijas deben viajar por barco _________[7] lo menos una vez en su vida. _________[8] eso prefiero viajar en barco.

FERMÍN: Pero Norma, el movimiento de las olas[e] es muy problemático _________[9] mí. Especialmente _________[10] la noche.

NORMA: Fermín, _________[11] lo general, la gente duerme mejor[f] en barco _________[12] el ritmo constante y el movimiento. Vas a dormir como un bebé.

FERMÍN: Tienes razón, pero yo no soy como las personas típicas; además, no voy a poder hablar _________[13] teléfono celular en el barco.

NORMA: ¿_________[14] qué quieres hablar por teléfono durante nuestras vacaciones? Solamente estamos de vacaciones _________[15] cuatro semanas.

FERMÍN: _________[16] mantenerme[g] en contacto con mi padre. Ya sabes que él está muy viejo...

NORMA: Bueno, Fermín, si estás tan preocupado _________[17] tu padre, vamos en avión. Salimos _________[18] las Islas Canarias el 23 de agosto.

FERMÍN: Un beso _________[19] ti, mi querida,[h] y gracias _________[20] comprender.

[a]*to travel* [b]*boat* [c]*airplane* [d]me... *makes me sick* [e]*waves* [f]*better* [g]*keep myself* [h]*darling*

4.2 Demonstrative Adjectives and Pronouns

Práctica 1. Pronombres demostrativos. Indicate the correct form of the demonstrative adjective (**este, ese, aquel**), based on the distance of each object from manolito. **¡OJO!** Be careful with gender and number agreement.

1. ______ perros	5. ______ coche	9. ______ bicicleta
2. ______ perros	6. ______ coche	10. ______ cartas
3. ______ perros	7. ______ bicicleta	11. ______ cartas
4. ______ coche	8. ______ bicicleta	12. ______ cartas

Práctica 2. De paseo. Complete Francisco's exchanges with his young daughter Sofía as they walk around Madrid. Every time Francisco suggests something, Sofía insists on an alternative that is farther away. Use the correct form of **aquel** for Sofía's responses, following the model. Then listen and repeat the correct response.

MODELO (*you hear*) Sofía, vamos a esta tienda.
(*you say*) No, no quiero entrar en esta tienda, quiero ir a aquella tienda.

1. … 2. … 3. … 4. … 5. …

Nombre ______________________ Fecha ______________ Clase ______________

Práctica 3. Nuestra familia. Complete the exchanges between cousins Mauricio and Nur as they examine a family tree. Complete Mauricio's statements with the correct form of **este** and Nur's statements with the correct form of **ese.**

MODELO MAURICIO: Este es mi sobrino, Basilio.
NUR: Ese es mi sobrino, Basilio.

1. MAURICIO: ______________ es mi padre, Flavio.
   NUR: ______________ es mi tío, Flavio.
2. MAURICIO: ______________ es mi abuelo, Roberto.
   NUR: ______________ es mi abuelo, Roberto.
3. MAURICIO: ______________ es mi tía, Juanita.
   NUR: ______________ es también mi tía, Juanita.
4. MAURICIO: ______________ es mi tía, Ramona.
   NUR: ______________ es mi madre.
5. MAURICIO: ______________ son mis primas Catalina y Margarita.
   NUR: ______________ son mis primas también.
6. MAURICIO: ______________ son mis primos, Jorge y Pedro.
   NUR: ______________ son mis primos también.

Síntesis y repaso

Práctica 1. Mi familia. Escuche mientras Josh describe a su familia. Luego escoja las respuestas correctas, según lo que oye. Puede escuchar más de una vez, si Ud. quiere.

1. La _____ de Josh se llama Jennifer.
   ☐ madre ☐ abuela ☐ hermana
2. La madre de Josh es de _____.
   ☐ Nuevo México ☐ México ☐ Nueva York
3. Bill es el _____ de Josh.
   ☐ abuelo ☐ padre ☐ primo
4. El padre de Josh nació en _____.
   ☐ 1952 ☐ 1964 ☐ 1962
5. Josh tiene _____ hermanos.
   ☐ dos ☐ tres ☐ cuatro
6. Susie es la _____ de Josh.
   ☐ prima ☐ hermano ☐ hermana
7. El hermano de Josh tiene _____ años.
   ☐ 11 ☐ 27 ☐ 18
8. A la hermana de Josh le gusta _____ con sus amigos.
   ☐ jugar ☐ estudiar ☐ salir

Práctica 2. ¿Quién es? Escuche la descripción de cada persona. Indique quienes son, según lo que oye.

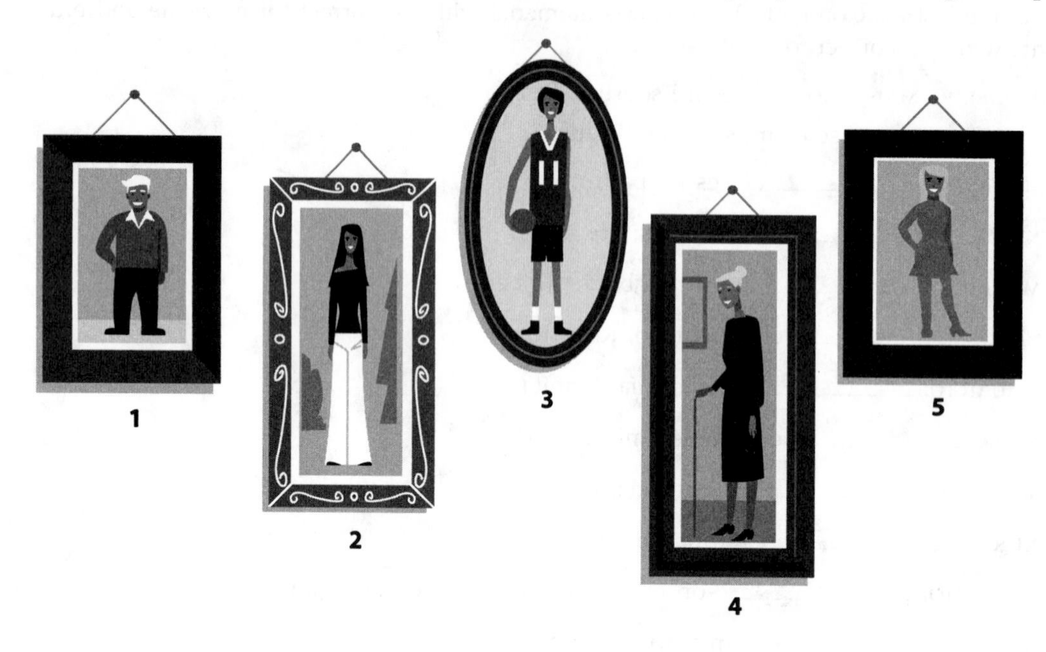

1. nombre: ______________________ relación: ______________________
2. nombre: ______________________ relación: ______________________
3. nombre: ______________________ relación: ______________________
4. nombre: ______________________ relación: ______________________
5. nombre: ______________________ relación: ______________________

Práctica 3. Una familia grande. Escuche la descripción de la familia de Jorge. Luego conteste las preguntas con oraciones completas, según lo que oye. Puede escuchar más de una vez, si Ud. quiere.

1. ¿Cuántos años tiene Jorge? ______________________
2. ¿Cuántos primos tiene Jorge? ______________________
3. ¿Cómo son los primos de Jorge? ______________________
4. ¿Cuántos años tiene la madre de Jorge? ______________________
5. ¿Cuál es la profesión del padre de Jorge? ______________________
6. ¿Cómo es el padre de Jorge? ______________________

Práctica 4. Una tradición de fútbol y éxito

PASO 1. Lea el siguiente párrafo sobre el Real Madrid.

Real Madrid es uno de los equipos de fútbol más populares de España. Tiene una larga historia de éxitos[a] y drama y muchos lo consideran entre[b] los mejores equipos[c] de fútbol del mundo. Es miembro fundador[d] de la FIFA, la Federación Internacional de Fútbol Asociación. Elegido[e] como el mejor equipo del siglo[f] XX por FIFA, el Real Madrid es el equipo más célebre[g] de España. El Estadio Santiago Bernabéu, construido[h] en 1947 en el centro de Madrid con capacidad para 80.354 personas, es la sede[i] del Real Madrid. Es el equipo más rico[j] de la liga y el único[k] equipo del fútbol profesional autónomo.[l] El equipo controla el dinero y como entidad[m] autónoma, es dueño[n] del estadio también.

[a]*successes* [b]lo… *consider it among* [c]mejores… *best teams* [d]miembro… *founding member* [e]*Elected* [f]*century* [g]*celebrated, famous* [h]*built* [i]*venue* [j]más… *richest* [k]*only* [l]*self-governing, self-owned* [m]*entity* [n]*owner*

El Estadio Santiago Bernabéu tiene clasificación de UEFA[ñ] de elite, que es la mejor clasificación posible. Las entradas[o] al estadio para ver un partido de fútbol son caras[p]: 150€* por un asiento[q] lejos del campo.[r] Para los mejores asientos, cerca del campo, hay que pagar más de 300€. A pesar de los precios,[s] los partidos son muy populares entre las familias españolas y la asistencia media[t] a partidos de Real Madrid es casi 70 mil. En España, el fútbol es una pasión.

[ñ]*Union of European Football Associations* [o]*tickets* [p]*expensive* [q]*seat* [r]*field* [s]A... *Despite the prices* [t]asistencia... *average attendance*

PASO 2. Conteste estas preguntas sobre el **Paso 1. ¡OJO!** Deletree (*Spell out*) los numeros en sus respuestas.

1. ¿Cómo se llama el equipo de fútbol más popular de España? ________________
2. ¿Qué honor recibió (*did they receive*) de FIFA al final del siglo xx? ________________
3. ¿Cuántos años tiene de jugar el equipo en el estadio Santiago Bernabéu? ________________
4. ¿Cuántos aficionados (*fans*) pueden asistir a un partido en el estadio Santiago Bernabéu? ____

   ____
5. ¿Cuántos euros pagan los aficionados por una de las entradas (*tickets*) para ver un partido?

   ____

PASO 3. Indique si las oraciones son **ciertas (C)** o **falsas (F)**, según la lectura del **Paso 1.**

		C	F
1.	Los aficionados son los dueños (*owners*) del equipo.	☐	☐
2.	Es el peor equipo de fútbol de España.	☐	☐
3.	Es el mejor equipo entre los años 1900 y 2000.	☐	☐
4.	Tiene los jugadores (*players*) más famosos.	☐	☐
5.	Tiene más éxito que los otros equipos de España.	☐	☐
6.	Tiene más dinero que los equipos de Europa y Latinoamérica.	☐	☐
7.	Tienen un estadio nuevo en el centro de Barcelona.	☐	☐

Pronunciación

b and v

In Spanish, **b** and **v** are pronounced exactly the same way. If the letters **b** and **v** occur at the beginning of a phrase or after **m** or **n**, they are pronounced like the English *b*; no air is allowed to escape the lips.

Práctica 1. Repeticiones. Listen and repeat each word. You will notice that **b** and **v** are pronounced identically.

bonita bueno veinte ver nombre

In all other instances, **b** and **v** are both pronounced as a "soft" fricative **b,** meaning that some air is allowed to escape through the lips.

Práctica 2. Más repeticiones. Listen and repeat each word, paying close attention to the "soft" fricative **b** or **v** in each word.

árabe sábado hablar trabajar aburrido abuelos invierno favorito

*The symbol for **euros** is €. Note that, unlike the dollar symbol, it follows the number.

Práctica 3. Ortografía (*Spelling*). Listen and write the sentences you hear. Because **b** and **v** sound alike in Spanish, you will need to memorize the spelling of words with these letters. You will hear each sentence twice.

1. ______________________________
2. ______________________________
3. ______________________________
4. ______________________________
5. ______________________________
6. ______________________________

TEMA II: La familia contemporánea

Vocabulario del tema

Práctica 1. Una familia moderna. Complete cada oración con la palabra correcta basándose en las relaciones del árbol genealógico.

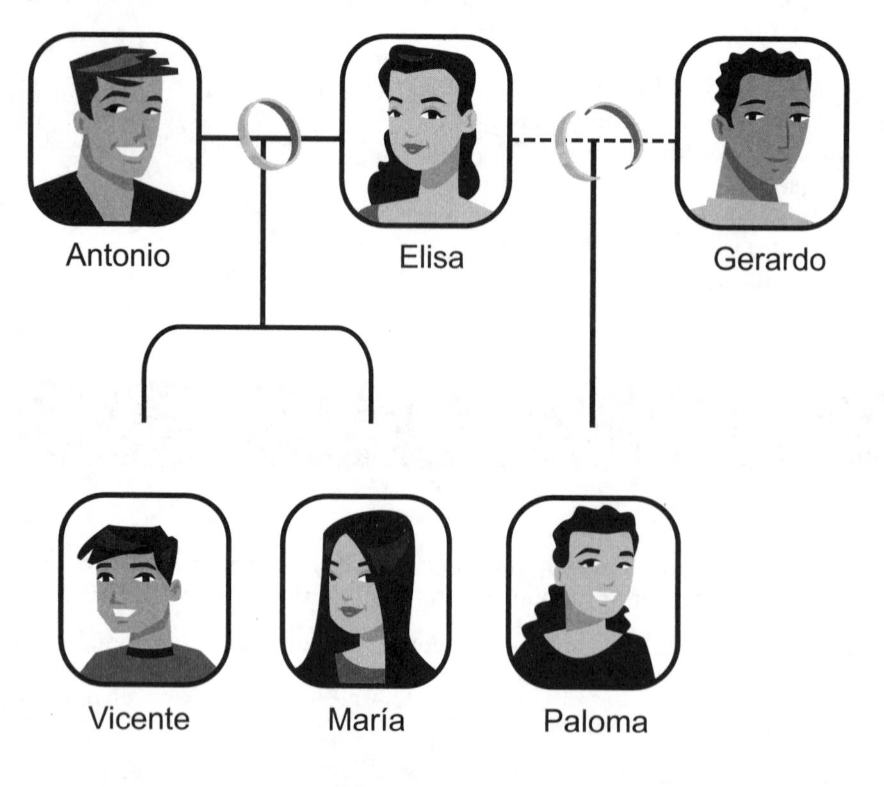

1. Elisa es la ____________ de Vicente.
2. Paloma es la ____________ de Antonio.
3. María y Vicente son los ____________ de Paloma.
4. Vicente es el ____________ de María.
5. Antonio es el ____________ de Paloma.

Práctica 2. Los estados civiles y el parentesco

PASO 1. Escribe las palabras que se definen abajo. Ud. puede repasar la lista del **Vocabulario del tema** antes de empezar. **¡OJO!** Incluya el artículo definido en su respuesta.

1. Es una mujer que no está ni (*neither*) casada ni (*nor*) divorciada. ______
2. Un matrimonio consigue (*gets*) esto cuando rompen las relaciones. ______
3. Es la unión legal entre un hombre y una mujer. ______
4. Son hermanos que nacen juntos (*together*). ______
5. Es una ceremonia religiosa o civil que formaliza la unión de una pareja. ______
6. Es un hombre cuya (*whose*) esposa ya murió. ______
7. Es un hijo que no tiene hermanos. ______

PASO 2. Ahora, dé definiciones para las siguientes palabras en español.

1. el ahijado ______
2. la hijastra ______
3. el padrastro ______
4. los hijos adoptivos ______

Gramática

4.3 Más/Menos... que...

Práctica 1. La familia Rodríguez y la familia García. Using comparisons of inequality, complete the comparative statements about these two families based on the information and cue word given. **¡OJO!** Don't forget about the special comparative forms used to express *better than* and *worse than.*

1. La familia Rodríguez tiene mucho dinero, pero la familia García tiene poco dinero.

   rico: La familia Rodríguez es ______ la familia García.

2. La familia Rodríguez tiene tres mascotas, pero la familia García tiene cinco mascotas.

   mascotas: La familia Rodríguez tiene ______ la familia García.

3. En la familia García hay diez personas, pero en la familia Rodríguez hay cinco personas.

   grande: La familia García es ______ la familia Rodríguez.

4. Los chicos García corren una milla (*mile*) en ocho minutos, pero los chicos Rodríguez corren una milla en siete minutos.

   correr rápido: Los chicos Rodríguez ______ los chicos García.

5. Las hamburguesas que cocinan los Rodríguez son buenas, pero las hamburguesas que cocinan los García son buenísimas.

   cocinar bien: Los padres García ______ los padres Rodríguez.

(*continúa*)

6. La Sra. García compra dos pares de zapatos nuevos cada mes, pero la Sra. Rodríguez compra tres pares de zapatos nuevos cada mes.

   zapatos: La Sra. Rodríguez compra ____________________ la Sra. García.

7. Los niños Rodríguez sacan malas notas en la escuela, pero los niños García sacan buenas notas.

   inteligente: Los niños Rodríguez son ____________________ los niños García.

8. Los niños García practican deportes quince horas por semana, pero los niños Rodríguez practican deportes cinco horas por semana.

   horas: Los niños García practican deportes ____________________ los niños Rodríguez.

Práctica 2. Términos especiales. Complete las oraciones con la forma apropiada de **mayor, menor, mejor,** y **peor.**

1. Nuestra casa es ____________________ (+ bueno) que la casa de mi hermano.
2. El abuelo es ____________________ (+ viejo) que su nieto.
3. Los bebés son ____________________ (− viejo) que el bisabuelo.
4. Los mapas impresos (*printed*) son ____________________ (+ malo) que los GPS.

Práctica 3. ¿El otro o tú? Listen to the following questions comparing Antonio to others in his family. Respond using the subject given below. Use comparisons in your answers. Then listen and repeat the correct answers.

MODELO (*you hear*) ¿Quién es más guapo, tu hermano o tú?
(*you see*) Yo →
(*you say*) Yo soy más guapo que mi hermano.

1. mi padre
2. mi madre
3. yo
4. mi hermana
5. yo
6. yo
7. mi tío
8. yo
9. mi sobrino
10. mi mascota

4.4 Tan, tanto/a/os/as... como...

Práctica 1. Comparaciones de igualdad

PASO 1. Complete las oraciones con adjetivos que se apliquen (*apply*) a Ud. y a los familiares que aparecen abajo. **¡OJO!** Cuidado con la concordancia (*agreement*).

1. Yo soy tan ____________________ como mi padre.
2. Yo soy tan ____________________ como mi madre.
3. Yo soy tan ____________________ como mi hermano/a.
4. Yo soy tan ____________________ como mi mejor amigo/a.
5. Yo soy tan ____________________ como mi mascota.

PASO 2. Ahora haga comparaciones basándose en la siguiente información.

1. Raúl corre media hora cada día. Amalia corre media hora cada día.

   Raúl ______________________________________ Amalia.

2. Diego estudia diez horas por semana. Paco estudia diez horas por semana.

   Paco ______________________________________ Diego.

3. Rogelio come mucho. Isabel come mucho.

   Rogelio ______________________________________ Isabel.

4. Mi abuelo tiene mucho dinero. Tu abuelo tiene mucho dinero.

   Tu abuelo ______________________________________ mi abuelo.

5. Yo tengo dos gatos. Tú tienes dos gatos.

   Tú ______________________________________ yo.

6. Mi tío tiene tres casas. Tu tío tiene tres casas.

   Mi tío ______________________________________ tu tío.

7. Tú tienes mucha suerte (*luck*). Yo tengo mucha suerte.

   Yo ______________________________________ tú.

Práctica 2. Comparaciones de igualdad y desigualdad

PASO 1. Compare the members of the Obama family by completing the sentences with the missing words. Note: Barack was born in 1961, his wife Michelle in 1964, and their daughters Malia Ann in 1998 and Sasha in 2001.

1. Sasha es ______________________ alta que Malia Ann.
2. Barack es ______________________ alto que Sasha.
3. Las hijas son ______________________ bajas que Barack.
4. Michelle es ______________________ inteligente como Barack.
5. Las hijas son ______________________ morenas como sus padres.
6. Barack está tan contento ______________________ Michelle.
7. Sasha es (*age*) ______________________ Malia Ann.
8. Barack es (*age*) ______________________ su esposa.
9. Sasha es más cariñosa ______________________ Malia Ann.

PASO 2. Write five sentences comparing your age, height, intelligence, looks, and so on with other members of your family.

1. ______________________________________
2. ______________________________________
3. ______________________________________
4. ______________________________________
5. ______________________________________

Práctica 3. **¿Qué piensa Ud.?** Complete las oraciones basándose en sus opiniones. Luego explique por qué Ud. opina así.

1. El mejor mes del año es ____________________.

   ¿Por qué? ____

2. La peor actriz de Hollywood es ____________________.

   ¿Por qué? ____

3. El quehacer más difícil es ____________________.

   ¿Por qué? ____

4. El pasatiempo más aburrido es ____________________.

   ¿Por qué? ____

5. El país latinoamericano más interesante es ____________________.

   ¿Por qué? ____

6. El mejor programa de televisión es ____________________.

   ¿Por qué? ____

7. El día festivo menos divertido es ____________________.

   ¿Por qué? ____

8. El aparato doméstico más necesario es ____________________.

   ¿Por qué? ____

Práctica 4. **Nota comunicativa: Superlatives.** Conteste las preguntas sobre la familia de Ana. Luego escuche y repita la respuesta correcta.

MODELO (*you hear*) ¿Quien es la persona más interesante de tu familia? (*you see*) mi padre →
(*you say*) Mi padre es la persona más interesante de mi familia.

1. mi madre
2. mi hermano
3. yo
4. mi padre
5. mi primo
6. mi hermana
7. mi abuela
8. mi perro
9. mi tío
10. mi padre

Práctica 5. **Nota comunicativa: *ísimo***

Forming the Absolute Superlative with *ísimo*. Añade **-ísimo/a/os/as** a los adjetivos entre paréntesis para completar las oraciones. Haga cambios de ortografía cuando sea (*it is*) necesario.

¿Sabes qué, Adela? ¡Mi novio es ____________________[1] (bueno)! Él me trae[a] rosas todos los viernes cuando salimos. Es ____________________[2] (cariñoso). Mi ex novio no es tan simpático. Es ____________________[3] (torpe). No tiene nada de romántico. Ahora mi ex novio sale con Raquel Amores. La conoces,[b] ¿no? Ella es ____________________[4] (alto). Su hermana mayor estudia aquí también y es ____________________[5] (inteligente). Sale con el ____________________[6] (guapo) profesor de antropología. Ellos están

[a]me... *brings me* [b]La... *You know her*

_______________[7] (orgulloso) de su relación. Ser tan orgulloso es

_______________[8] (feo). Y tú, ¿qué dices? ¿Qué te pasa?[c] Estás

_______________[9] (nervioso). ¿Te sientes[d] bien? Eres mi mejor amiga. Somos

_______________[10] (unido). Dime qué te pasa.[e]

[c]¿Qué... *What's wrong with you?* [d]¿Te... *Do you feel* [e]Dime... *Tell me what's wrong with you*

Síntesis y repaso

Práctica 1. Un árbol genealógico. Escuche la descripción de la familia de César y rellene los espacios en blanco con el nombre apropiado. Puede escuchar más de una vez, si Ud. quiere.

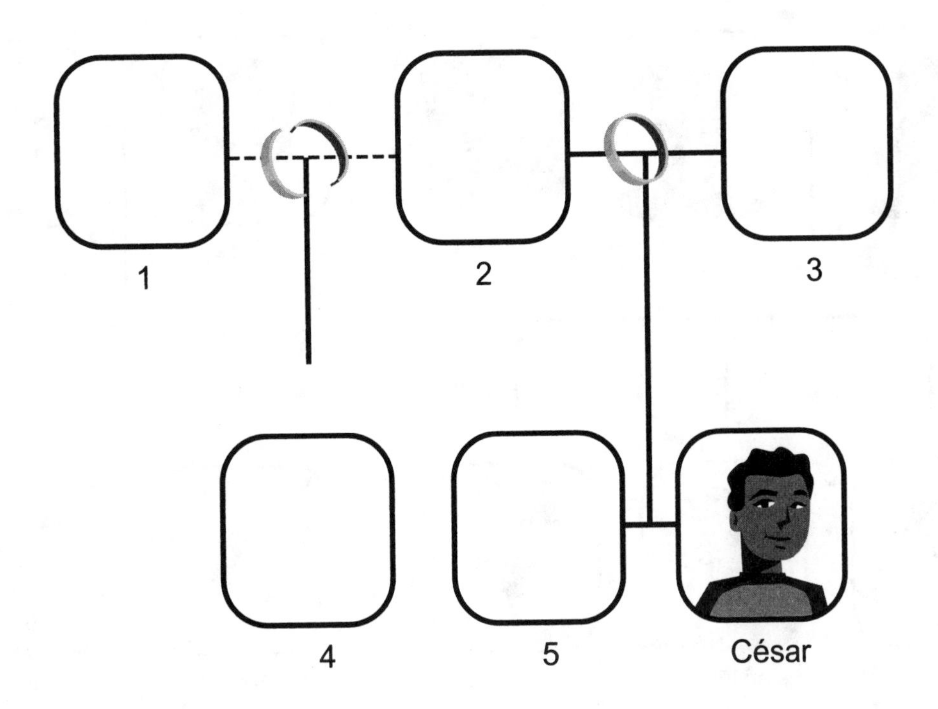

Práctica 2. Mis hermanos y hermanastros. Escuche a Enrique mientras describe sus hermanos. Luego indique si las oraciones son **ciertas** (**C**) o **falsas** (**F**). Puede escuchar más de una vez, si Ud. desea.

	C	F
1. David es mayor que Linda.	☐	☐
2. Olivia es menor que Enrique.	☐	☐
3. Gustavo es menor que Guillermo.	☐	☐
4. Olivia es mayor que Graciela.	☐	☐
5. Graciela es menor que Guillermo.	☐	☐
6. Linda es mayor que Alex.	☐	☐

Práctica 3. Descripciones de los parientes. Escuche la descripción de los Cisneros y responda a las preguntas, según lo que oye. Ud. puede usar el árbol genealogico para ayudarlo/la a organizar sus apuntes (*notes*).

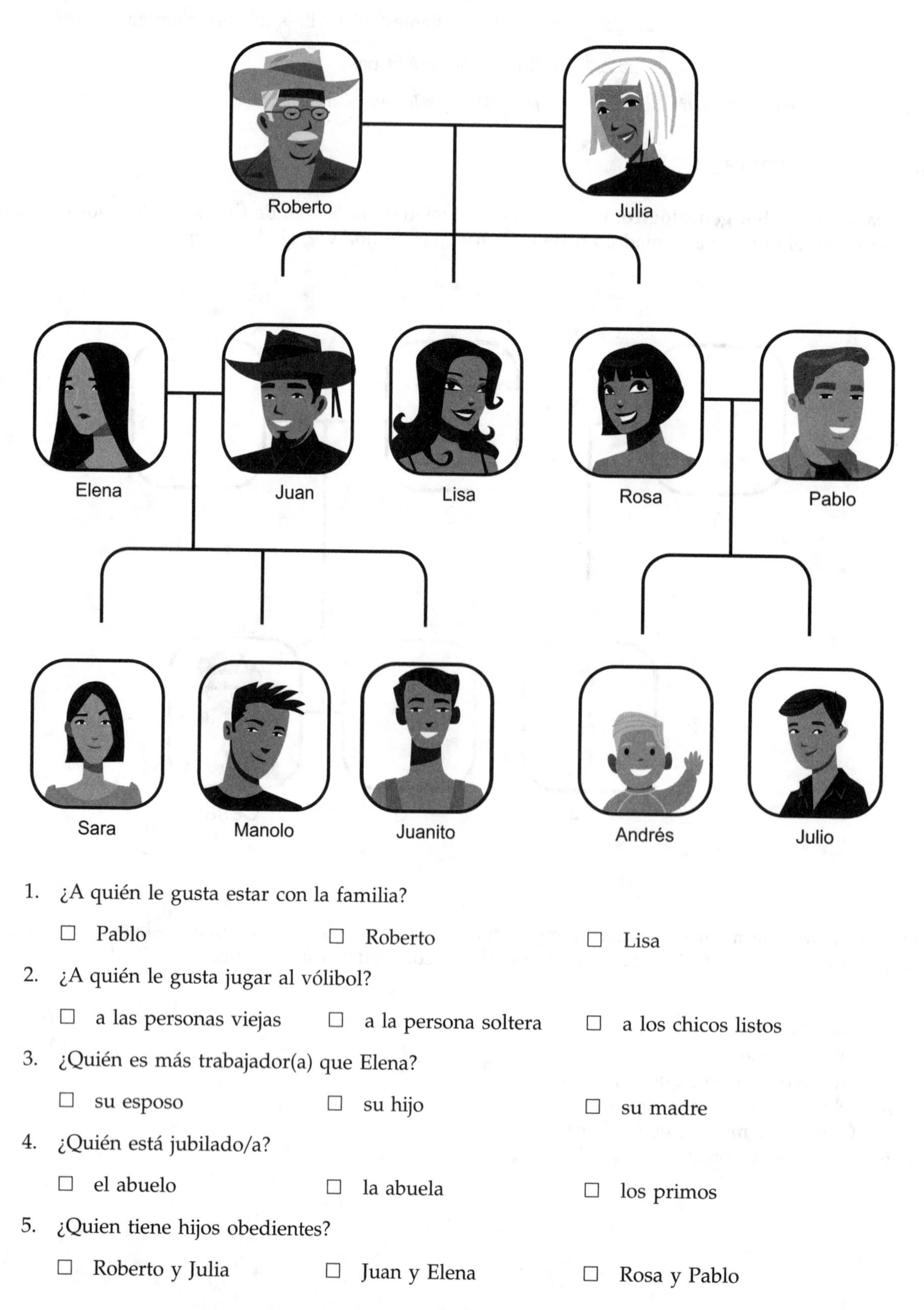

1. ¿A quién le gusta estar con la familia?

   ☐ Pablo ☐ Roberto ☐ Lisa

2. ¿A quién le gusta jugar al vólibol?

   ☐ a las personas viejas ☐ a la persona soltera ☐ a los chicos listos

3. ¿Quién es más trabajador(a) que Elena?

   ☐ su esposo ☐ su hijo ☐ su madre

4. ¿Quién está jubilado/a?

   ☐ el abuelo ☐ la abuela ☐ los primos

5. ¿Quien tiene hijos obedientes?

   ☐ Roberto y Julia ☐ Juan y Elena ☐ Rosa y Pablo

Práctica 4. Comparación del sistema político estadounidense y el español.

PASO 1. Lea la lectura sobre el sistema político español y estadounidense.

España tiene una monarquía parlamentaria. Juan Carlos I fue proclamado[a] rey el 22 de noviembre de 1975. El rey es el jefe del estado y controla las fuerzas armadas.[b] España tiene también un poder[c] ejecutivo: el presidente o el primer ministro. El rey nombra[d] al presidente, y el congreso de diputados da la aprobación.[e] El poder legislativo de España es el parlamento, llamado Cortes[f] Generales, y estas incluyen el Congreso de los Diputados[g] y el Senado. El congreso de los diputados tiene 350 miembros elegidos.[h] El número de miembros elegidos de cada provincia depende del número de la población. Cada una de las cincuenta provincias elige a cuatros senadores. Las diecisiete comunidades autónomas pueden nombrar senadores también. Normalmente hay 259 senadores en el senado. El poder judicial de España incluye varias cortes y jueces,[i] y el Tribunal[j] Supremo. Hay varios partidos[k] políticos en España. Los principales son: el Partido Socialista Obrero[l] Español (PSOE) y el Partido Popular (PP). Los partidos regionales clave[m] son: Convergencia y Unión (CIU) en Cataluña y el Partido Nacionalista Vasco (PNV) en el País Vasco.

Los Estados Unidos tiene un presidente, elegido[n] democráticamente por un sistema electoral y por un período de cuatro años. El presidente es el jefe del estado, el comandante de las fuerzas armadas y tiene poder ejecutivo. Los Estados Unidos tiene un poder legislativo: un congreso formado por el Senado y la Cámara de Diputados. El senado consiste en dos representantes por cada uno de los cincuenta estados, o sea, cien personas en total. El número de diputados por estado varía según el número de la población. El gobierno nacional o federal tiene una rama[o] judicial con varias cortes y jueces, y el Tribunal Supremo. Hay dos partidos políticos principales: el Partido Republicano y el Partido Demócrata.

[a]fue… *was proclaimed* [b]fuerzas… *armed forces* [c]*power* [d]*names, appoints* [e]*approval* [f]*Courts* [g]*Deputies, Congressmen* [h]*elected* [i]*judges* [j]*Court* [k]*parties* [l]*Laborer* [m]*key* [n]*elected* [o]*branch*

PASO 2. Conteste las preguntas sobre la lectura del **Paso 1.**

1. ¿Qué país tiene la influencia de un monarca?

   ☐ España ☐ los Estados Unidos

2. ¿Quién tiene más poder? El presidente de…

   ☐ España ☐ los Estados Unidos

3. ¿Qué país tiene más Senadores?

   ☐ España ☐ los Estados Unidos

4. ¿Qué país tiene más regiones autónomas (provincias y estados)?

   ☐ España ☐ los Estados Unidos

5. ¿Qué país tiene más partidos políticos principales?

   ☐ España ☐ los Estados Unidos

PASO 3. Investigue otro país que tenga una monarquía constitucional e escriba tres comparaciones entre España y ese país.

España y ______________: dos países con una monarquía constitucional

1. ______________________________

2. ______________________________

3. ______________________________

Palabra escrita

A finalizar

You are now going to write your final composition, based on the first draft you wrote in the **Palabra escrita: A comenzar** section of your textbook. Remember that the theme for your composition is a topic you chose related to **La familia** and that your purpose is to tell the reader about the topic you chose.

Práctica 1. El borrador. Repase el borrador de su composición para estar seguro (*be sure*) de que contestó (*you answered*) bien estas preguntas.

1. temas posibles sobre la familia
2. palabras o frases que describen a su familia
3. palabras o frases que describen a la familia ideal
4. palabras o frases que describen a su pariente favorito
5. la importancia de la familia
6. una definición de «la familia»
7. ¿ ?

Práctica 2. El vocabulario y la estructura. Repase el vocabulario y la gramática de este capítulo. Tenga en cuenta (*keep in mind*) estas preguntas.

1. ¿Incluyó (*Did you include*) suficiente información para contestar las preguntas de la **Práctica 1**?
2. ¿Usó (*Did you use*) el vocabulario apropiado?
3. ¿Usó correctamente **por** y **para** y los demostrativos?
4. ¿Están correctamente conjugado los verbos?
5. ¿Concuerdan los adjetivos (*Do the adjectives agree*) con los sustantivos que modifican?

Práctica 3. ¡Ayúdame, por favor! Intercambien composiciones con un compañero / una compañera de clase. Repasen las composiciones y háganse sugerencias para mejorarlas (*improve them*) o corregirlas (*correct them*).

Práctica 4. El borrador final. Vuelva a escribir su composición y entréguesela (*turn it in*) a su profesor(a).

Capítulo 5

TEMA I: ¿Hay una vivienda típica?

Vocabulario del tema

Práctica 1. Los edificios de las afueras. Empareje cada palabra con el dibujo correspondiente.

el balcón	el edificio de apartamentos	el primer piso
la calle	el jardín	el segundo piso
la casa	la planta baja	la ventana

1. _______________
2. _______________
3. _______________
4. _______________
5. _______________
6. _______________
7. _______________
8. _______________
9. _______________

Práctica 2. Las viviendas. Lea cada una de las descripciones e indique la palabra correspondiente.

1. En el salón no tenemos sofá, mesita, sillones ni televisión.
   a. sin amueblar b. amueblado
2. Nosotros vivimos muy lejos de la ciudad.
   a. en el campo b. en el centro
3. No me gusta caminar por esta calle porque hay poca luz (*light*).
   a. oscura b. luminosa
4. Nuestro barrio es muy tranquilo y hay muchas casas con jardines grandes, pero para llegar a la oficina donde trabajo, tengo que salir muy temprano.
   a. en el centro b. en las afueras
5. Nosotros tenemos allí dos coches y cuatro bicicletas.
   a. la cochera b. el estudio
6. Mi hermano y yo vivimos en el noveno piso.
   a. la ventana b. el ascensor

Gramática

5.1 Direct Object Pronouns

Práctica 1. En la universidad y en casa

PASO 1. Primero subraye (*underline*) el objeto directo de cada oración. Luego escriba el pronombre apropiado para reemplazarlo: **lo, la, los** o **las.**

MODELO Tengo dos novelas de Carlos Ruiz Zafón. → las

En la universidad

1. Estudio inglés. ________
2. Traemos los libros a clase todos los días. ________
3. Tengo un *iPod* bellísimo. ________
4. El profesor enseña español. ________
5. Leemos las lecciones cada día. ________
6. Mi compañero bebe dos botellas de Coca-Cola todos los días. ________

En la casa

7. Miras mucho la televisión. ________
8. Tenemos un lavabo en nuestro cuarto. ________
9. Ponen las rosas en la mesa. ________
10. A la derecha de mi mesita de noche, tengo una estantería. ________
11. En mi casa jugamos al billar. ________
12. Escucho la música que me gusta en casa. ________

PASO 2. Ahora escribe cada oración del **Paso 1** usando el pronombre de objeto directo apropiado.

MODELO Tengo todas las novelas de Carlos Ruiz Zafón. → Las tengo.

En la universidad

1. ______________________________
2. ______________________________
3. ______________________________
4. ______________________________
5. ______________________________
6. ______________________________

En la casa

7. ______________________________
8. ______________________________
9. ______________________________
10. ______________________________
11. ______________________________
12. ______________________________

Práctica 2. Los amigos y la familia

PASO 1. Primero, subraye (*underline*) el objeto directo en cada una de las oraciones. Luego, escriba el pronombre de objeto directo correcto para reemplazarlo: **me, te, nos, os, lo, la, los,** or **las. ¡OJO!** En algunas oraciones, el objeto directo se expresa en una frase preposicional, por ejemplo, **a mí.**

MODELOS ¿Entienden Uds. al hombre que tiene el perro? → lo

¿Puedes llamar a mí esta tarde? → me

Los amigos

1. ¿Vas a invitar a Anita a la fiesta? ________
2. ¿Piensas llamar a Damián? ________
3. ¿Ves a la muchacha guapísima? ________
4. ¿Puedes llamar a mí después de clase? ________
5. ¿Debo buscar a ti a las once? ________

La familia

6. ¿Siempre entiende a ti tu padre? ________
7. ¿Llevas a tu hermanito al parque contigo? ________
8. ¿Tienes que llamar a los abuelos hoy? ________
9. ¿Invitan ellos a nosotras a la reunión? ________
10. ¿Debo llevar a Uds. conmigo? ________

PASO 2. Ahora complete las respuestas posibles para las preguntas del **Paso 1.** Use los pronombres de objeto directo. **¡OJO!** Para contestar las preguntas del **Paso 1,** algunos de los pronombres van a ser diferentes de las respuestas del **Paso 1.**

MODELOS —¿Entienden Uds. al hombre que tiene el perro?
—No, no lo entendemos.
—¿Puedes llamarme a mí esta tarde?
—Sí, te llamo a las seis.

Los amigos

1. —¿Vas a invitar a Anita a la fiesta?

   —Sí, ________ voy a invitar a la fiesta.

2. —¿Piensas llamar a Damián?

   —No, no ________ pienso llamar.

3. —¿Ves a la muchacha guapísima?

   —Sí, ________ veo.

4. —¿Puedes llamarme (a mí) después de clase?

   —No, no ________ puedo llamar después de clase, lo siento.

5. —¿Debo buscarte (a ti) a las once?

   —Sí, ________ buscas a las once.

La familia

6. —¿Siempre te entiende (a ti) tu padre?

   —No, a veces no ________ entiende.

7. —¿Llevas a tu hermanito al parque contigo?

   —Sí, ________ tengo que llevar al parque conmigo.

8. —¿Tienes que llamar a los abuelos hoy?

   —No, ________ tengo que llamar mañana, es su cumpleaños.

9. —¿Nos invitan (a nosotras) a la reunión Julio y Tere?

   —Sí, ________ invitan a la reunión.

10. —¿Debo llevarlos (a Uds.) conmigo?

    —No, no ________ debes llevar contigo.

Práctica 3. Una fiesta. Rewrite each sentence or question to, show the two possible placements of the direct object pronoun.

MODELO Necesito llamar a mis padres. →
Los necesito llamar. / Necesito llamarlos.

1. Voy a hacer planes para mi fiesta.

   ________________ ________________

2. No puedo invitar a todos mis amigos.

   ________________ ________________

3. Voy a llamar a mi mejor amiga esta tarde.

   ________________ ________________

4. ¿Quieres pedir una pizza?

   ________________ ________________

5. ¿Debemos beber sangría?

   ________________ ________________

6. Voy a necesitar ayuda con esto. ¿Puedes ayudar?

   ________________ ________________

Práctica 4. ¡Estoy preparándola! Write two possible responses to each question, showing the different placements of the correct direct object pronoun with the present progressive. **¡OJO!** Don't forget to add an accent mark when needed.

MODELO ¡Hola amiga! Ya son las cuatro de la tarde. ¿Estás preparando la fiesta? →
Sí, la estoy preparando. / Sí, estoy preparándola.

1. ¿Estás barriendo el piso?

   ________________ ________________

2. ¿Estás arreglando el balcón?

   ________________ ________________

3. ¿Estás haciendo la sangría?

   ________________ ________________

4. ¿Estás pidiendo la pizza?

   ________________ ________________

5. ¿Estás limpiando las ventanas?

   ________________ ________________

6. ¡Estoy hablando! ¿Me estás escuchando?

   ________________ ________________

Práctica 5. En la fiesta. A guest at the party you're throwing has a lot of questions. Answer him affirmatively, avoiding repetition by using the correct direct object pronoun in your answer. Then listen and repeat the correct answers. **¡OJO!** There may be more than one correct way to respond.

MODELO (*you hear*) ¿Tienes una cafetera limpia? →
(*you say*) Sí, la tengo.

1. … 2. … 3. … 4. … 5. … 6. …

5.2 **Ser** and **estar** Compared

Práctica 1. Una cita (*date*). Indique los usos de **ser** y **estar** en cada oración.

1. _____ PEDRO: ¡Ay caramba! ¡Estás muy guapa esta noche!
2. _____ ÁNGELA: Gracias, Pedro, eres muy simpático.
3. _____ PEDRO: Vámonos,[a] ya es hora de ir al restaurante.
4. _____ ÁNGELA: Espera un momento, no estoy lista todavía.
5. _____ PEDRO: ¿Qué estás haciendo? Tenemos que irnos[b] ahora.
6. _____ ÁNGELA: No sé dónde está mi carnet.[c]
7. _____ PEDRO: Mira en el suelo. ¿Es ese tu carnet?
   ÁNGELA: Sí, ¡qué alivio![d]
8. _____ PEDRO: A ver.[e] ¡Ay, qué exótico! ¿Eres de las Islas Canarias?
9. _____ ÁNGELA: Claro, Pedro. Eres mi amigo, ¡ya lo sabes!

a. answers the question *when?*
b. tells where someone or something is located at the moment
c. indicates possession
d. feelings or state of a person at a specific point in time
e. appearance of a person at a specific point in time
f. origin or nationality
g. inherent qualities or characteristics of a person or thing
h. present progressive tense to state that an action is in progress at this moment
i. identifies or defines someone or something

[a]*Let's go* [b]*leave* [c]*driver's license* [d]¡que... *What a relief!* [e]A... *Let's see*

Práctica 2. Preguntas. Answer the following questions about the drawing, paying careful attention to the uses of **ser** and **estar**. Then listen and repeat the correct answer.

MODELO (*you hear*) ¿Qué año es? →
(*you say*) Es dos mil once.

1. ... 2. ... 3. ... 4. ... 5. ... 6. ... 7. ...

Práctica 3. Situaciones. Lea cada descripción y complete las oraciones usando el adjetivo que se indica.

1. *aburrido:* El profesor Sánchez habla sin parar (*without stopping*) por dos horas en un tono monótono. Los estudiantes tienen que escuchar y tomar apuntes, sin participar en la clase.

   El profesor _______________.

   Los estudiantes _______________.

2. *rico:* Adriana y su esposo tienen mucho dinero y a ella le gusta comprar lo mejor (*the best*). En el supermercado siempre compra el mejor pastel (*cake*) aunque (*even though*) cuesta mucho.

   Adriana y su esposo _______________.

   El pastel _______________.

3. *listo:* Memo es un estudiante muy inteligente y dinámica. Acaba de terminar (*He has just finished*) toda la tarea para esta semana.

   Memo _______________.

   La tarea de Memo _______________.

Síntesis y repaso

Práctica 1. Un apartamento de alquiler (*to rent*). Escuche el anuncio (*advertisement*) para un apartamento que se alquile (*for rent*). Indique la palabra apropiada para completar cada oración.

1. El apartamento está en… ☐ la calle. ☐ el centro. ☐ el campo.
2. El bloque de pisos está en… ☐ la calle. ☐ la avenida. ☐ el bulevar.
3. Los cuartos están… ☐ amueblados. ☐ sin amueblar. ☐ oscuros.
4. El apartamento es… ☐ muy tranquilo. ☐ céntrico. ☐ viejo.
5. El apartamento tiene… ☐ ascensor. ☐ cochera. ☐ balcón.

Práctica 2. ¿Cómo están y cómo son? Mire el dibujo de una familia en su casa y responda a las preguntas con oraciones completas usando las palabras de la lista.

alegre	cansado/a	triste
alto/a	enfermo/a	viejo/a
bajo/a	joven	

1. ¿Cómo está la persona en la planta baja? ____________________
2. ¿Cómo es la persona que está en el balcón? ____________________
3. ¿Cómo está la persona en la cochera? ____________________
4. ¿Cómo está la persona en el primer piso? ____________________
5. ¿Cómo es la persona que está en el jardín? ____________________
6. ¿Cómo es la persona que está en la cochera? ____________________

Práctica 3. Los vecinos de Anita. Listen to Anita describe her neighbors, then answer the questions using complete sentences based on what you hear. You may listen more than once, if you like.

1. ¿Dónde vive Anita? ____________________
2. ¿Cómo es el vecino que vive en el segundo piso? ____________________
3. ¿Por qué no es tranquilo el apartamento de Anita? ____________________
4. ¿Qué le gusta hacer al vecino en la planta baja? ____________________
5. ¿Cuándo visita Anita a su vecino en la planta baja? ____________________

Práctica 4. Mi casa ideal.

PASO 1. Lea el siguiente párrafo sobre la casa ideal.

Mi casa ideal está en Málaga, España. Las casas de Málaga son grandes y lujosas.[a] Están cerca de la playa[b] y están situadas en una comunidad muy tranquila. Muchas personas famosas y ricas tienen casa para veranear[c] allí, entre ellas, Antonio Banderas. Mi casa ideal tiene un balcón, tres pisos y un garaje. También tiene un jardín con muchas flores.[d] Los vecinos son simpáticos y solamente hablan español. La casa no está en el campo, pero tampoco está en el centro. La calle está a 200 metros del puerto[e] y la playa está a 400 metros. Los cuartos son grandes y abiertos y es muy luminosa. Algún día, voy a comprarla. Sólo cuesta unos 250.000€.

[a]*luxurious* [b]*beach* [c]*to spend summer holidays* [d]*flowers* [e]*port*

PASO 2. ¿Cierto o falso? Si la oración es falsa, corríjala.

	C	F
1. Mi casa ideal está en Marbella, España.	☐	☐
2. Está en las montañas (*mountains*).	☐	☐
3. Tiene un jardín con tomates.	☐	☐
4. Está cerca del mar (*sea*).	☐	☐
5. Cuesta más de cien euros.	☐	☐

PASO 3. Busque en Internet casas bonitas en Málaga, España. Escriba una breve descripción de una casa que le guste.

Pronunciación

r and rr

Spanish has two different **r** sounds, a trilled **r** and a flapped **r.** The English *r* sound is not used in Spanish.

The flapped **r** sound in Spanish is similar to the English *dd* and *tt* in the words *ladder* and *butter.* Any single **r** that is not at the beginning of a word should be flapped.

Práctica 1. Pronunciación de la *r*. Listen and repeat each word, paying attention to the flapped **r.**

sobrino soltero cochera enero tranquilo

The Spanish trilled **r** is pronounced whenever a word is written with **rr** between vowels or when the letter **r** occurs at the beginning of a word.

The trill sound is formed when air flowing through the mouth causes the tongue to vibrate rapidly. This will only work if the tongue is relaxed, *not* if the tongue is tense. By holding the tip of your tongue just behind your upper teeth and pushing the air through the mouth, you will make the trilled **rr** sound. Making this sound takes a lot of practice for many students, so do not be frustrated if you cannot make this sound on the first try.

Práctica 2. The trilled *rr*. Listen and repeat each word, paying attention to the trilled **rr.**

barrio perro irritado red Enrique

Práctica 3. Ortografía. Listen and spell each word using the rules you have learned about **r** and **rr.**

1. ____________ 4. ____________ 7. ____________
2. ____________ 5. ____________ 8. ____________
3. ____________ 6. ____________

Tema II: En casa

Vocabulario del tema

Práctica 1. Los muebles de la casa. Indique los muebles más lógicos para cada cuarto. En muchos casos hay más de una respuesta.

1. En el salón, hay ____.
   ☐ un microondas ☐ un sillón ☐ un lavabo
   ☐ una mesita ☐ una cama ☐ una chimenea
2. En la cocina, hay ____.
   ☐ una cafetera ☐ un pasillo ☐ una cómoda
   ☐ un lavabo ☐ un refrigerador ☐ un horno

3. En el dormitorio, hay ____.
   ☐ una ducha ☐ una alfombra ☐ una cómoda
   ☐ un cuadro ☐ una estufa ☐ un inodoro
4. En el baño, hay ____.
   ☐ un lavadero ☐ un inodoro ☐ una mesita
   ☐ una piscina ☐ una cafetera ☐ un sofá
5. En el comedor, hay ____.
   ☐ una cama ☐ una mesa ☐ unas sillas
   ☐ una ducha ☐ una cómoda ☐ un sofá

Práctica 2. ¿Dónde está? Complete las oraciones con las frases de la lista, según el dibujo. **¡OJO!** Use cada frase solamente una vez.

a la derecha de	debajo de	encima de
a la izquierda de	delante de	enfrente de
al lado de	dentro de	entre

1. La cama está ______________ la mesita de noche y el espejo (*mirror*).
2. La ropa está ______________ la cómoda.
3. El gato está ______________ la cama.
4. El espejo está ______________ la cama.
5. La cama está ______________ la ventana.
6. La lámpara está ______________ la mesita de noche.
7. La mesita de noche está ______________ la cama.
8. La cómoda está ______________ el armario.
9. La persona está ______________ el espejo.

Gramática

5.3 Reflexive Verbs

Práctica 1. ¿Quién lo hace? Empareje cada verbo con el pronombre personal apropiado / los pronombres personales apropiados.

1. ____ tú
2. ____ nosotros
3. ____ yo
4. ____ ellos, ellas, Uds.
5. ____ él, ella, Ud.

a. me ducho
b. nos acostamos
c. se divierte
d. se visten
e. te afeitas

Práctica 2. La rutina de Ud. Complete cada oración con el verbo apropiado para describir su rutina.

me afeito	me despierto	me seco
me baño / me ducho / me lavo	me levanto	me visto

Primero ______________________.[1] y ______________________.[2]

Entonces ______________________,[3] después ______________________,[4]

luego ______________________,[5] y por fin ______________________.[6]

Práctica 3. La rutina diaria de Celia. Describe la rutina de Celia, según los dibajos. Use verbos reflexivos conjugados en la tercera persona singular.

Primero ______________________.[1] Entonces ______________________[2] y

______________________.[3] Después ______________________,[4]

______________________[5] y ______________________.[6] Luego

______________________[7] y por fin ______________________.[8]

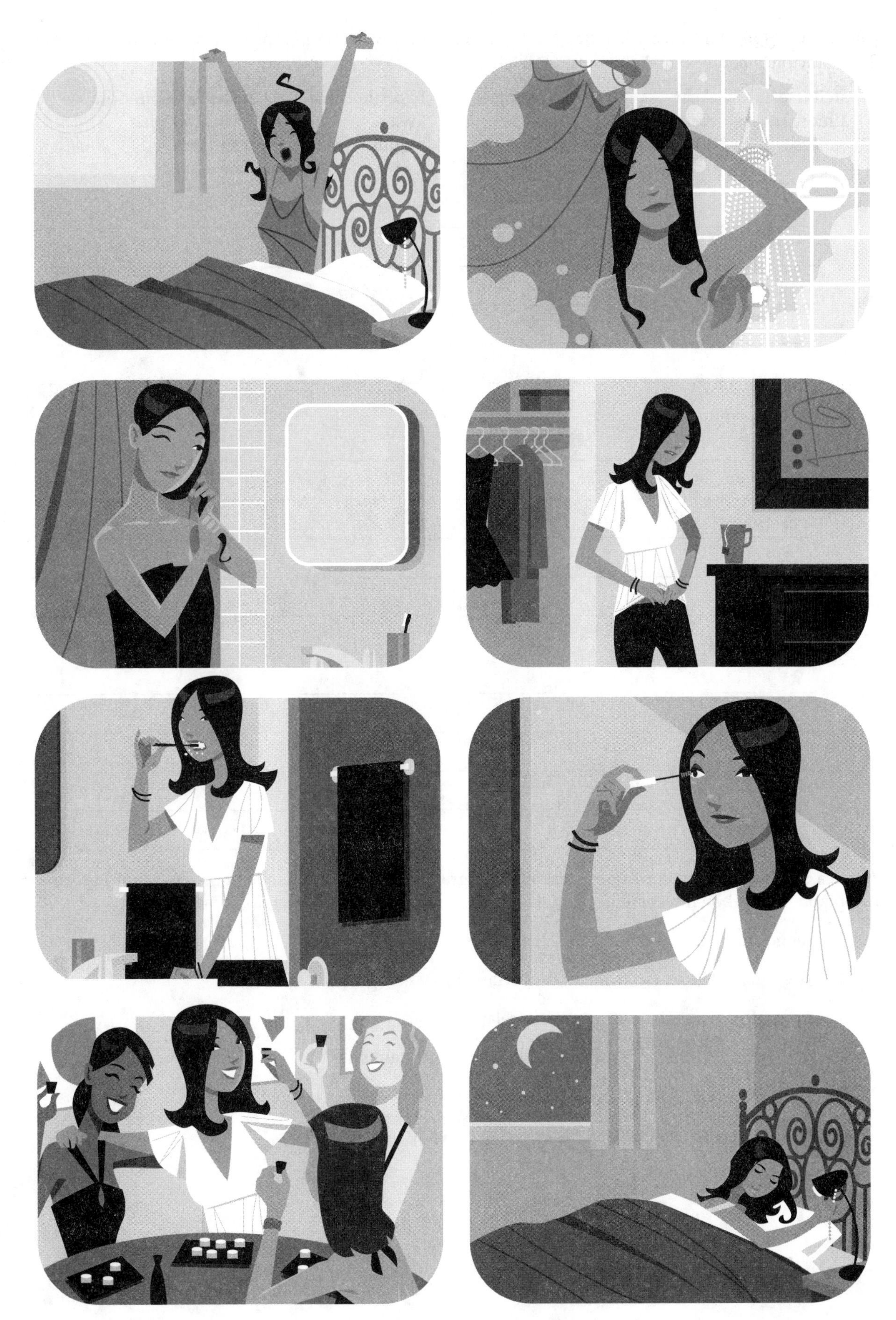

Práctica 4. ¿Qué hacemos y dónde? Use la forma de nosotros de los siguientes verbos para escribir cinco oraciones sobre lo que solemos hacer en cada cuarto.

afeitarse	cenar	despertarse	hacer la cama	pasar la aspiradora
almorzar	cocinar	ducharse	lavarse	trapear el piso
bañarse	desayunar	estudiar	maquillarse	vestirse

1. En el baño…

____.

____.

____.

____.

____.

2. En el dormitorio...

____.

____.

____.

____.

____.

3. En la cocina...

____.

____.

____.

____.

____.

Práctica 5. Los reflexivos con otras estructuras gramaticales. Complete las oraciones con la forma apropiada del verbo entre paréntesis. **¡OJO!** Use el infinitivo o el participio presente.

1. Tengo que ____________________ (bañarse) ahora.
2. Voy a ____________________ (despertarse) más temprano.
3. Aprendo a ____________________ (relajarse) más.
4. Sé ____________________ (maquillarse) profesionalmente.
5. Necesito ____________________ (vestirse) rápido.
6. Debo ____________________ (ducharse) todos los días.

7. ________ voy a ________________ (divertirse) en la fiesta.
8. ________ tengo que ________________ (lavarse) las manos.
9. ________ estoy ________________ (afeitarse).
10. ________ estoy ________________ (vestirse).
11. Estoy ________________ (secarse).
12. Estoy ________________ (divertirse).

Práctica 6. Nota comunicativa: Ordinal Numbers. Alejo is a student by day and works at a convenience store by night. Complete the description of his daily routine with the correct form of the ordinal numbers indicated within parentheses.

Bueno, la ________________[1] (1^{era}) cosa que hago es despertarme a las 10:00 de la noche. ________________[2] (2°), me gusta leer en la cama. Mi ________________[3] (3°) actividad es desayunar. Normalmente desayuno *Pop-Tarts.* ________________[4] (4°), me ducho rápidamente y luego, la ________________[5] (5^{a}) cosa que hago es vestirme. La ________________[6] (6^{a}) actividad es ir al trabajo a medianoche. Después del trabajo, voy directamente a mi ________________[7] (1^{era}) clase a las 9:30 de la mañana. Mi ________________[8] (2^{a}) clase comienza a las 10:30. Finalmente, mi última clase es a las 11:30 en la Facultad de Artes, pero esa facultad está lejos. Siempre tengo que correr a clase. Después, como estoy muy cansado, la ________________[9] (7^{a}) actividad que hago es dormir una siesta. ________________[10] (8°), estudio un poco; ________________[11] (9°), hablo con los amigos y por fin me acuesto.

5.4 Indefinite and Negative Words

Práctica 1. Opuestos. Empareje cada expresión afirmativa con la expresión negativa correspondiente.

1. _____ algo
2. _____ alguien
3. _____ algún
4. _____ alguno
5. _____ alguna
6. _____ algunos
7. _____ algunas
8. _____ siempre
9. _____ sí
10. _____ o… o

a. no
b. nunca
c. ni… ni
d. nadie
e. ningún
f. nada
g. ningunas
h. ninguno
i. ninguna
j. ningunos

Práctica 2. El sitio perfecto. Escoja las palabras apropiadas entre paréntesis para completar el párrato.

Estoy buscando un apartamento y un compañero de piso. ________[1] (No / Nadie) quiero tener una actitud negativa, pero es muy difícil encontrar lo que quiero. ________[2] (Siempre / Tampoco) me han gustado[a] los apartamentos luminosos[b] y esta es la primera cosa que busco. Después, es importante saber quiénes son los vecinos. No quiero tener ________[3] (nadie / ningún) vecino antipático. Tercero, no me gustan ________[4] (o / ni) los gatos ________[5] (o / ni) los perros. ________[6] (También / Tampoco) me gustan los pájaros. No quiero vivir con ________[7] (nadie / alguien) que tenga[c] animales. Finalmente, no quiero limpiar ________[8] (nunca / ninguna) la cocina. ¿Hay ________[9] (algún / alguien) apartamento perfecto para mí? ¿Hay ________[10] (algún / alguien) que pueda[d] ser mi compañero de piso?

[a]me... *I have liked* [b]*well-lit* [c]que... *who has* [d]*could be*

Práctica 3. La pareja quiere comprar una casa. Complete la conversación con palabras de la lista.

algo alguien nada nadie ni no siempre tampoco

AGUSTÍN: Claudia, mira esta foto. Creo que tengo ________[1] interesante aquí. ¡Puede ser la casa perfecta!

CLAUDIA: Agustín, esta casa ________[2] es la casa que quiero.

AGUSTÍN: Vamos a verla, querida. ________[3] puede tomar una decisión sin ver la casa primero.

CLAUDIA: ¡Ay! ________[4] me pides[a] ir a ver las casas que no me interesan.

AGUSTÍN: Voy a llamar a la oficina de ventas para hablar con un agente. ¿Crees que ________[5] va a contestar el teléfono los domingos?

CLAUDIA: No quiero ni hablar con ningún agente ________[6] ver la casa. ¡No estoy interesada en esta casa!

AGUSTÍN: ¿Supongo que ________[7] quieres pasar en coche por la casa?

CLAUDIA: Tienes razón. Hoy no quiero hacer ________[8] que tenga que ver con[b] casas o agentes.

[a]me... *you ask me* [b]tenga... *has to do with*

Práctica 4. ¿Cuándo tiene Ud. una actitud negativa? Complete las oraciones para que sean ciertas (*so they are true*) para Ud.

1. Nunca me gusta jugar ________________.
2. Nadie ________________.
3. No me gusta ________________ con nadie.
4. Ninguna clase es ________________.
5. Mi dormitorio ni es ________________ ni es ________________.
6. Mi barrio no es ________________, pero tampoco es ________________.
7. Ninguna persona es ________________.
8. Ninguno de mis profesores es ________________.

Síntesis y repaso

Práctica 1. El salón de mi casa. Listen to the description of Eduardo's living room. As you listen, list the pieces of furniture that are mentioned. Indicate how many there are of each piece, and give a brief description based on what you hear. The first piece mentioned is done for you.

MODELO mesita: Hay una mesita. Es vieja y elegante.

1. ____________________
2. ____________________
3. ____________________
4. ____________________

Práctica 2. ¡A comprar! Mire el anuncio para unos muebles e indique si las oraciones son **ciertas (C)** o **falsas (F)**. Si la oración es falsa, corríjala.

	C	F
1. Hay una estantería en la lista de muebles. ____________________	☐	☐
2. Hay una mesita de noche en la lista de muebles. ____________________	☐	☐
3. Hay un microondas en la lista de muebles. ____________________	☐	☐
4. La cómoda cuesta tanto como el sillón. ____________________	☐	☐
5. El escritorio cuesta ciento treinta y ocho dólares. ____________________	☐	☐
6. La lámpara cuesta más que el microondas. ____________________	☐	☐
7. El escritorio cuesta menos que el microondas. ____________________	☐	☐
8. La lámpara y el escritorio cuestan más que la cómoda. ____________________	☐	☐

Práctica 3. En busca de (*in search of*) la casa perfecta. Sean and Sara are looking for roommates and have provided descriptions of where they live. Listen as they describe their houses, then indicate the correct answer for each question based on what you hear. You may listen more than once, if you wish.

VOCABULARIO PRÁCTICO

aunque	although
la madera	wood
las alacenas	cabinets
el fregadero	kitchen sink

	LA CASA DE SEAN	LA CASA DE SARA
1. ¿Cuál de las casas es mejor para una persona a quien le gusta estar afuera?	☐	☐
2. ¿Cuál de las casas es mejor para una persona que quiere vivir con muchos compañeros?	☐	☐
3. ¿Cuál de las casas es mejor para una persona a quien no le gusta lavar la ropa?	☐	☐
4. ¿Cuál de las casas es mejor para una persona que estudia mucho?	☐	☐
5. ¿Cuál de las casas es mejor para una persona que tiene muchos libros?	☐	☐
6. ¿Cuál de las casas es mejor para una persona a quien le gusta cocinar?	☐	☐

Práctica 4. ¿Conoce Ud. (*Do you know*) a alguna persona que actúa negativamente?

PASO 1. Lea los consejos (*advice*) sobre como tratar con (*deal with*) una persona negativa.

Por todo el mundo hay personas que tienen una visión negativa de las cosas. ¿Conoce Ud. a una persona negativa? ¿Vive Ud. con una persona así[a]? ¿Trabaja Ud. con una de esas personas? Si Ud. es alguien que responde «sí» a estas preguntas, debe considerar estos consejos. Si Ud. tiene algún amigo que actúa de manera negativa, debe saber cómo tratar[b] a esta persona para no llegar a tener una actitud negativa también.

- Tiene que aceptar a la persona tal y como[c] es. Si Ud. le explica[d] a su amigo/a que debe «estar alegre», va a enojarse[e] con Ud. y va a aumentar su negatividad.
- Para evitar[f] la negatividad, Ud. siempre debe hacer comentarios positivos.
- Ud. nunca debe prestarle mucha atención a su negatividad. Cuando esa persona dice algo negativo, Ud. debe responder con algo positivo.
- No debe pasar demasiado[g] tiempo con esta persona. Las actitudes negativas siempre son contagiosas.

[a]*like that* [b]*to treat* [c]tal… *just how*
[d]le… *explain to him/her* [e]*become angry* [f]*avoid*
[g]*too much*

PASO 2. ¿Cierto o falso?

	C	F
1. Ud. puede ser amigo de alguien que tiene una actitud negativa.	☐	☐
2. Debe aceptar a la persona negativa tal y como es.	☐	☐
3. Siempre es beneficioso escuchar a la persona negativa.	☐	☐
4. Es importante no prestar mucha atención a la negatividad.	☐	☐
5. Una actitud negativa es siempre contagiosa.	☐	☐

PASO 3. Now think of some situations in which you are often negative. Choose one to write about. Answer the following questions: **¿Cuándo? ¿Dónde? ¿Con quién? ¿Por qué? ¿Con quién habla Ud. sobre la situación? ¿Cómo resuelva Ud. la situación?**

____

____

____

____

____

____

Palabra escrita

A finalizar

You are now going to write your final composition, based on the first draft you wrote in the **Palabra escrita: A comenzar** section of your textbook. Remember that the theme for your composition is **Un lugar especial en el hogar** and that your purpose is to describe a certain area or room in your home (or a favorite relative's home with which you're familiar) and to explain to the reader why it is special to you.

Práctica 1. El borrador. Repase el borrador de su composición para estar seguro de que que contestó bien estas preguntas.

1. ¿Cuál es el lugar especial para Uds. en el hogar?
2. ¿Cómo es?
3. ¿Cómo se siente Ud. (*do you feel*) cuando está allí?
4. ¿Qué hace allí?
5. ¿Por qué es un lugar especial para Uds.?

Práctica 2. El vocabulario y la estructura. Repase el vocabulario y la gramática de este capítulo. Tenga en cuenta estas preguntas.

1. ¿Incluyó suficiente información para contestar las preguntas de la **Práctica 1**?
2. ¿Usó el vocabulario apropiado?
3. ¿Usó correctamente **ser** y **estar** y los pronombres de objeto directo?
4. ¿Están correctamente conjugado los verbos?
5. ¿Concuerdan los adjetivos con los sustantivos que modifican?

Práctica 3. ¡Ayúdame, por favor! Intercambien composiciones con un compañero / una compañera de clase. Repasen las composiciones y háganse sugerencias para mejorarlas o corregirlas.

Práctica 4. El borrador final. Vuelva a escribir su composición y entréguesela a su profesor(a).

Capítulo 6

TEMA I: ¿Existe una comida hispana?

Vocabulario del tema

Práctica 1. Los tipos de comidas. Ponga cada comida en el grupo apropiado.

el agua	el bistec	la langosta	la piña	el tocino
el arroz	los camarones	la leche	el pollo	las uvas
el atún	la champaña	el pan	el queso	el yogur
el azúcar	las espinacas	el pavo	la sal	la zanahoria

1. las carnes y aves (*poultry*)

   ____

   ____

   ____

   ____

2. las frutas y verduras

   ____

   ____

   ____

   ____

3. el pescado y los mariscos

   ____

   ____

   ____

4. los productos lácteos

   ____

   ____

   ____

5. los granos

   ____

   ____

6. los condimentos

   ____

   ____

7. las bebidas

   ____

   ____

Práctica 2. Busca al intruso. Indique cuál comida *no* pertenece en cada grupo.

1.	☐ el atún	☐ el pavo	☐ la langosta	☐ los camarones
2.	☐ el arroz	☐ el queso	☐ la leche	☐ la mantequilla
3.	☐ la lechuga	☐ la toronja	☐ la fresa	☐ la manzana
4.	☐ la papa	☐ la cebolla	☐ el mango	☐ la zanahoria
5.	☐ el jugo	☐ el aceite	☐ el vino	☐ la cerveza

Gramática

6.1 Indirect Object Pronouns

Práctica 1. Los Reyes Magos. Complete cada oración con el pronombre de objeto indirecto apropiado.

me	nos
te	
le	les

1. Los Reyes Magos _____ traen una cámara a mi mamá.
2. Los Reyes Magos _____ traen una bicicleta a mis hermanos.
3. Los Reyes Magos _____ traen unas entradas a un concierto de jazz a mis abuelos.
4. Los Reyes Magos _____ traen una computadora portátil (a mí).
5. Los Reyes Magos _____ traen muchas galletas (a nosotros).
6. Los Reyes Magos _____ traen un auto Mercedes a mi papá.
7. Los Reyes Magos _____ traen unos dulces a Uds.
8. Los Reyes Magos _____ traen un libro de español (a ti).

Práctica 2. Una ayuda. Listen to each sentence and restate it using an indirect object pronoun. Then listen and repeat the correct answer.

MODELO (*you hear*) Llevo flores a mi abuelo. →
(*you say*) Le llevo flores.

1. ... 2. ... 3. ... 4. ... 5. ... 6. ... 7. ... 8. ... 9. ... 10. ...

Práctica 3. ¡Niños! Aurelia is having lunch with her mother and her little brothers. Complete the answers to her mother's questions, making any changes necessary.

MODELO ¿Van a escucharme bien? →
Sí, mamá, vamos a escucharte bien.

1. ¿Van a mostrarme sus buenos modales (*good manners*)?

   Sí, mamá, ________________________________.
2. ¿Van a darme sus juguetes (*toys*) antes de comer?

   Sí, mamá, ________________________________.
3. ¿Van a decirle: «Gracias» a la camarera?

   Sí, mamá, ________________________________.
4. ¿Van a pasarle la comida a su hermanito?

   Sí, mamá, ________________________________.
5. ¿Van a decirme cuándo necesitan ir al baño?

   Sí, mamá, ________________________________.

Práctica 4. La familia en el restaurante. Answer the following questions with the correct indirect object pronoun, based on the cues given. Then listen and repeat the correct answer.

MODELO (*you hear*) ¿Me das el refresco a mí? (*you see*) No, a tu hermana →
(*you say*) No, le doy el refresco a tu hermana.

1. No, a tu hermano
2. No, a tu abuelo
3. No, a los niños
4. No, a ti
5. No, a tus hermanos
6. No, a mí
7. No, a Uds.

6.2 Double Object Pronouns

Práctica 1. El mesero

PASO 1. Circle the direct object and underline the indirect object in each sentence, including the adjectives and other words that modify them. Then write the direct and indirect objects under the corresponding columns.

MODELO Traigo (café negro) a los señores de la mesa tres. → DO: café IO: señores

	DO	IO
1. Doy la ensalada a la mujer bonita.	______	______
2. Traigo unas servilletas a los niños.	______	______
3. Pongo el aceite de oliva en la mesa para los ricos.	______	______
4. Doy las gracias a los jóvenes.	______	______
5. Necesito dar el azúcar al hombre que bebe café.	______	______

PASO 2. Now rewrite each sentence from **Paso 1,** replacing the direct and indirect objects with their corresponding pronouns.

MODELO Traigo café negro a los señores de la mesa tres. →
Se lo traigo.

1. ______________________
2. ______________________
3. ______________________
4. ______________________
5. ______________________

Práctica 2. Un menú. A local reporter interviews a restaurant owner about his famous customer-pleasing menu. Complete the first sentence with the appropriate indirect object pronoun and then restate it, replacing both the direct and indirect object pronouns.

1. REPORTERO: ¿Qué tipo de comida tienen para los vegetarianos?

   DUEÑO: ________[1] preparamos ensaladas exquisitas. ________[2] preparamos con muchas especias.

2. REPORTERO: ¿Y para los niños?

   DUEÑO: ________[3] preparamos ensalada de fruta. ________[4] preparamos con nata.[a]

3. REPORTERO: ¿Y para los bebés?

   DUEÑO: ________[5] preparamos leche. ________[6] preparamos bien tibia.[b]

4. REPORTERO: ¿Y para la persona que no puede comer grasa[c]?

   DUEÑO: A esta persona ________[7] preparamos carnes magras.[d] ________[8] preparamos con muchas verduras.

5. REPORTERO: ¿Y para los diabéticos?

   DUEÑO: ________[9] preparamos postres especiales. ________[10] preparamos sin azúcar.

6. REPORTERO: ¿Y para la persona que no puede comer sal?

   DUEÑO: ________[11] preparamos zanahorias y otras verduras. ________[12] preparamos con muchas hierbas.[e]

7. REPORTERO: ¿Y para los atletas?

   DUEÑO: ________[13] preparamos bistecs. ________[14] preparamos a la parrilla[f] o al horno.[g]

8. REPORTERO: ¿Y para un actor famoso?

   DUEÑO: ________[15] preparamos chuletas de cerdo. ________[16] preparamos con una pasta deliciosa.

[a]*whipped cream* [b]*warm* [c]*fat* [d]*lean* [e]*herbs* [f]*a... grilled* [g]*a... baked*

Práctica 3. Un jefe (*boss*) muy difícil. Answer the following questions affirmatively, replacing the direct and indirect objects with their corresponding pronouns. **¡OJO!** There is more than one correct answer to some of the questions.

MODELO JEFE: ¿Puedes ponerle otro mantel a esta mesa?

MESERO: Sí, se lo puedo poner. / Sí, puedo ponérselo.

1. JEFE: ¿Puedes llevarle un menú a ellos?

   MESERO: ____

2. JEFE: ¿Puedes cocinar el pescado para el niño?

   MESERO: ____

3. JEFE: ¿Cocinas las habichuelas para nosotros?

   MESERO: ____

4. JEFE: ¿Preparas el pollo para la clienta alta?

MESERO: ____

5. JEFE: ¿Llevas el plato de pavo a la pareja de la esquina?

MESERO: ____

6. JEFE: ¿Puedes preparar los camarones para mí?

MESERO: ____

7. JEFE: ¿Puedes llevar la cuenta a los clientes?

MESERO: ____

Práctica 4. ¿Y los clientes? Over the summer, you take a job working in a local market. Respond affirmatively to the questions from your customers, and don't forget to tell them how delicious everything is! After you answer, listen and repeat the correct answer.

MODELO (*you hear*) ¿Nos recomienda Ud. estos mangos? →
(*you hear*) Sí, se los recomiendo. Son deliciosos.

1. … 2. … 3. … 4. … 5. … 6. … 7. … 8. …

Síntesis y repaso

Práctica 1. Las tiendas. Listen as several people read their shopping lists, then indicate the stores they should go to for those items.

VOCABULARIO PRÁCTICO

la carnicería butcher
la frutería fruit stand
la heladería ice cream shop
la panadería bakery
la pescadería fish market
el puesto callejero street stand

1.	☐ la panadería	☐ la heladería	☐ la tienda de comestibles
2.	☐ la carnicería	☐ la pescadería	☐ la panadería
3.	☐ la pescadería	☐ la carnicería	☐ la frutería
4.	☐ la heladería	☐ el puesto callejero	☐ el supermercado
5.	☐ el puesto callejero	☐ la pescadería	☐ la frutería

Práctica 2. Una receta (*recipe*).

PASO 1. Listen to the omelet recipe and indicate the necessary ingredients from the following list.

VOCABULARIO PRÁCTICO

la cucharadita teaspoon
la cuchara tablespoon
caliente heat (*command*)

Los ingredientes necesarios en esta receta son:

☐ el aceite de oliva	☐ las espinacas	☐ la leche	☐ la sal
☐ el ajo	☐ los guisantes	☐ el pepino (*cucumber*)	☐ la salchicha
☐ el arroz	☐ los huevos	☐ la pimienta	☐ el tocino
☐ la cebolla	☐ el jamón	☐ el queso	☐ el vinagre

PASO 2. Now listen to the recipe again and put in order the different steps.

_____ Freír los ingredientes por unos cinco minutos.

_____ Agregar la carne y las verduras.

_____ Mezclar los ingredientes en un cuenco.

_____ Calentar el aceite en una sartén (*frying pan*).

_____ Cocinar por un minuto más.

Práctica 3. Un día de compras. Listen to José describe his shopping errands for the day and then answer the questions using complete sentences. First listen all the way through without trying to answer the questions. Then read the questions, and listen again. You can listen a third time, if you like.

VOCABULARIO PRÁCTICO

la carnicería	butcher
la pescadería	fish market
frescas	fresh
los pepinos	cucumbers
la frutería	fruit stand
las sandías	watermelons

1. ¿Qué va a comprar para los abuelos en la carnicería?

____

2. ¿Qué va a comprar en la pescadería? ¿Para quién?

____

3. ¿Por qué va a ir a la tienda de comestibles?

____

4. ¿Qué tipos de verduras va a comprar?

____

5. ¿Qué va a comprar en la frutería?

____

Práctica 4. «Desafío del Sabor» (*The Flavor Challenge*)

PASO 1. Read the following description of a cook-off contest.

DESAFÍO DEL SABOR

«Desafío del Sabor» es un concurso[a] para familias hispanas patrocinado por Unilever. Empezamos[b] con una encuesta[c] sobre los gustos hispanos en la que casi 20 mil personas participaron.[d] Después de la encuesta, sabemos la siguiente información:

- el 33 por ciento de los hispanos usa cilantro más que ajo, cebolla y chiles
- el 34 por ciento de los niños hispanos prefieren *nuggets* de pollo más que espaguetis o tacos
- el 72 por ciento de los hispanos prefiere comida italiana

¿Cómo son los gustos de su familia? En nuestro concurso Desafío del Sabor, cada familia puede mostrar su conocimiento[e] de la cocina hispana. Nosotros sabemos que el 70 por ciento de los hispanos cree que cocina bien los platos hispanos tradicionales. Pero en este concurso, el reto[f] es inventar una receta original. En la receta, tiene que usar productos de las siguientes compañías Unilever: Knorr, Ragu, Lipton, Country Crock, Skippy, Ben and Jerry's y Hellman's.

[a]*competition* [b]*We began* [c]*survey* [d]*participated* [e]*knowledge* [f]*challenge*

Para participar, mándenos su invención y si nosotros escogemos su receta, va a participar en un festival con nosotros en Los Ángeles, Nueva York, Miami, Chicago o Houston. ¡Nosotros invitamos![g] Allí, Ud. va a competir con otras familias hispanas. Los finalistas de cada festival van a tener su momento de fama en Univisión, compitiendo en un torneo[h] por un premio[i] de $10.000 y un viaje para la familia.

[g]¡Nosotros... *Our treat!* [h]*tournament* [i]*prize*

PASO 2. Answer the following questions based on the article.

1. ¿Quiénes pueden participar en el Desafío del Sabor?

   ____

2. ¿Cuántas personas participaron en la encuesta Unilever?

   ____

3. ¿Qué porcentaje (*percentage*) de hispanos tiene confianza en su habilidad de cocinar bien?

   ____

4. ¿En qué ciudades van a tener sus festivales?

   ____

5. ¿Cómo se llama la cadena de televisión en donde se presenta la competencia en que van a participar los ganadores?

   ____

6. ¿En qué consiste el premio para el ganador (*winner*) final?

   ____

PASO 3. Describa lo que Ud. hace con cinco de los productos de las companías Unilever Siga el modelo.

MODELO el té de Lipton: Me lo tomo por la manaña.

1. _______________ : _______________
2. _______________ : _______________
3. _______________ : _______________
4. _______________ : _______________
5. _______________ : _______________

Pronunciación

d

When the Spanish **d** occurs at the beginning of a sentence or after **n** or **l,** it is pronounced like the English *d,* as in *dog*. The only difference is that the Spanish **d** is a dental sound, meaning it is pronounced with the tip of the tongue against the back of the top teeth, instead of at the alveolar ridge, as in English.

In all other cases, Spanish uses a soft **d** that sounds more like the English *th,* as in *the.*

Práctica 1. La *d* dental. Listen and repeat each word, paying close attention to how the **d** is pronounced.

andar en bicicleta el deporte el domingo debo hacerlo

Práctica 2. The Soft *d.* Listen and repeat each word, paying close attention to the soft **d,** pronounced like the *th* in <u>th</u>e or <u>th</u>em.

nadar sábado mediodía cansado bebida

Práctica 3. Ortografía. Listen and spell each of the following words and phrases containing both pronunciations of the Spanish **d.**

1. ______________________
2. ______________________
3. ______________________
4. ______________________
5. ______________________

TEMA II: ¿Salimos a comer o comemos en casa?

Vocabulario del tema

Práctica 1. Las tres comidas del día. Examine the following lists and decide which meal each food belongs to.

	DESAYUNO	ALMUERZO	CENA
1. una ensalada, un sándwich de jamón, queso y té	☐	☐	☐
2. cereal con leche, huevos revueltos (*scrambled*) y café negro	☐	☐	☐
3. pollo asado, habichuelas arroz y vino tinto	☐	☐	☐
4. pan tostado, yogur, fresas y leche	☐	☐	☐
5. chuletas de cerdo, puré de papas, pastel, y agua	☐	☐	☐

Práctica 2. La mesa. Mire el dibujo y diga si las oraciones son **ciertas (C)** o **falsas (F).**

		C	F
1.	La servilleta está debajo del tenedor.	☐	☐
2.	La ensalada está al lado de la cuchara.	☐	☐
3.	El vaso está a la izquierda de la copa.	☐	☐
4.	Hay vino dentro de la copa.	☐	☐
5.	Hay una cuchara al lado del cuchillo.	☐	☐
6.	El plato está entre el cuchillo y el tenedor.	☐	☐
7.	Hay un mantel encima de la mesa.	☐	☐
8.	La sopa está encima del plato.	☐	☐

Gramática

6.3 Formal Commands

Práctica 1. Una receta. Read the following recipe. Write the infinitive form of the formal commands used in the recipe.

Arroz frito

Ingredientes:

3 tazas de arroz
5 tazas de agua
1 libra de carne de cerdo
3 cucharadas de aceite de oliva
3 dientes (*cloves*) de ajo
1/4 de cucharadita de jengibre (*ginger*) picado
6 huevos
4 cucharadas de salsa de soya
6 cebollinos (*scallions*)

Preparación:

Cocine[1] el arroz en el agua, y luego **déjelo**[2] enfriar (*cool*) completamente. **Corte**[3] la carne de cerdo en tiritas finas (*thin strips*). **Prepare**[4] los huevos en tortillas pequeñas y **córtelas**[5] también en tiritas finas. **Corte**[6] los cebollinos en pedacitos pequeños, incluyendo también la parte verde. **Caliente**[7] el aceite y **sofría**[8] (*sauté*) los dientes de ajo hasta dorar y **retírelos**[9] del fuego. **Eche**[10] (*Add*) sobre ese aceite el arroz cocinado, ya frío. **Revuélvalo**[11] constantemente para que no se pegue (*so it doesn't stick*). Ya caliente, **agregue**[12] la carne cortada, el jengibre y las tiritas de tortilla. **Añada**[13] poco a poco la salsa y finalmente los cebollinos. **Sirva.**[14]

1. ______________
2. ______________
3. ______________
4. ______________
5. ______________
6. ______________
7. ______________
8. ______________
9. ______________
10. ______________
11. ______________
12. ______________
13. ______________
14. ______________

Práctica 2. El chef ejecutivo. Dígales a los cocineros qué deben hacer para preparar los platos. Use los mandatos formales.

1. ______________ (Cortar) las zanahorias.
2. ______________ (Poner) más sal.
3. ______________ (Darme) la cuchara.
4. ______________ (Preparar) el postre.
5. ______________ (Hervir) el agua.
6. ______________ (Cocinar) la carne.
7. ______________ (Mezclar) la fruta.
8. ______________ (Cubrir) el cuenco.

Práctica 3. Preparativos para una boda. Usando los verbos de la lista, dé el mandato formal que mejor completa cada oración.

dar estar ir ser

1. Por favor, ______________ presentes en la iglesia antes de las dos.
2. No ______________ a los bares antes de la boda.
3. ______________ contentos y de buen humor todo el día.
4. ______________ muchas atenciones a los invitados.
5. Después de la ceremonia, ______________ directamente al restaurante.
6. Por favor, ______________ gentiles (*kind*) con los suegros y cuñados.
7. ______________ corteses (*polite*) con todos los invitados.
8. No le ______________ malas noticias a la novia este día.

Práctica 4. La boda de Marcos. Marcos tiene muchas preguntas para su novia (*bride*) antes de su boda. Conteste las preguntas con un mandato formal afirmativo o negativo, según los deseos de la novia. Luego, escuche y repita la respuesta correcta.

MODELO (*you hear*) ¿Puedo vestirme en la sala? (*you see*) no →
(*you say*) No, no se vista en la sala.

1. no
2. sí
3. sí
4. no
5. sí
6. sí
7. sí
8. no
9. sí
10. sí

Práctica 5. Mandatos con pronombres. Empareje cada pregunta con la respuesta apropiada.

1. _____ ¿Lavamos las ventanas?
2. _____ ¿Lavo las cucharas?
3. _____ ¿Nos lavamos el pelo?
4. _____ ¿Lavo las sillas para mi abuela?
5. _____ ¿Lavamos los platos para ti?
6. _____ ¿Nos lavamos las manos?
7. _____ ¿Lavamos la mesa?
8. _____ ¿Me lavo la cara?

a. Sí, lávenselo.
b. Sí, lávelas.
c. Sí, lávenla.
d. Sí, lávesela.
e. Sí, lávenmelos.
f. Sí, lávenlas.
g. Sí, lávenselas.
h. Sí, láveselas.

Práctica 6. Quehaceres de cocina. Responda a cada pregunta con mandatos formales. Use pronombres de objeto directo o indirecto para evitar la repetición.

1. ¿Limpiamos la cocina? Sí, ______________________.
2. ¿Arreglamos los cubiertos? Sí, ______________________.
3. ¿Ponemos la mesa? Sí, ______________________.
4. ¿Comemos la sopa? No, ______________________.
5. ¿Nos lavamos las manos? Sí, ______________________.
6. ¿Nos sentamos aquí? No, ______________________ allí.
7. ¿Dormimos la siesta? No, ______________________.
8. ¿Les damos los platos a los niños? No, ______________________.
9. ¿Servimos la ensalada a los invitados? Sí, ______________________.
10. ¿Traemos el pastel a los novios? Sí, ______________________.

Práctica 7. Su luna de miel y ¡Ud. está enferma! Conteste cada pregunta con un mandato formal. Use pronombres de objeto directo e indirecto para evitar la repetición. Siga el modelo. Luego escuche y repita las respuestas correctas.

MODELO (*you hear*) ¿Le preparo un café?
(*you see*) no →
(*you say*) No, no me lo prepare.

1. sí 2. sí 3. sí 4. no 5. sí 6. no 7. sí 8. sí

6.4 Preterite: Regular Verbs

Práctica 1. En un restaurante. Escuche cada oración e indique la conjugación que oye.

	a.	b.	c.
1.	comí	comió	comieron
2.	llegamos	llegué	llegó
3.	hablé	hablasteis	habló
4.	senté	sentó	sentamos
5.	pregunté	preguntaste	preguntó
6.	responder	respondieron	respondí
7.	dejé	dejó	dejamos
8.	empezó	empecé	empezaste
9.	llegué	llegó	llegaron
10.	comisteis	comimos	comieron

Práctica 2. Lo que pasó hoy en el restaurante. Complete la entrada de diario (*journal entry*) con la forma apropiada del pretérito de cada verbo entre paréntesis.

Querido diario:

Hoy ______________[1] (pasar) muchas cosas extrañas en el restaurante. Primero, cuando yo ______________[2] (llegar) al restaurante, ______________[3] (buscar) a mis amigos. No los ______________[4] (encontrar), así que ______________[5] (sentarse) sola en el patio. Unos minutos después ______________[6] (llegar) mi amigo Adán. Lo ______________[7] (llamar), pero él no me ______________[8] (oír). Él ______________[9] (sentarse) cerca de la

(*continúa*)

ventana. Luego él le ________________[10] (hablar) a una camarera. Él le ________________[11] (contar) que esperaba a unos amigos y la camarera le ________________[12] (dejar) unos menús. Pero a mí, no me ________________[13] (ver) ninguno de los dos. Frustrada, yo ________________[14] (levantarse) para irme, pero en ese momento ________________[15] (llegar) nuestros otros amigos. Nosotros ________________[16] (sentarse) juntos y lo ________________[17] (pasar) bien.

Práctica 3. Una fiesta. Conteste las preguntas sobre su décimo cumpleaños usando las personas que aparecen abajo. Luego escuche y repita la respuesta correcta.

1. mis hermanas
2. los abuelos
3. mi padre
4. nadie
5. Uds.
6. mis primos pequeños
7. yo
8. todos nosotros

Práctica 4. Mi vida. Conteste las preguntas sobre su vida. Use el pretérito para decir en qué año aproximadamente empezó a hacer ciertas cosas.

1. ¿En qué año nació Ud.?

   ____

2. ¿En qué año empezó Ud. a asistir a la escuela?

   ____

3. ¿En qué año empezó a estudiar español?

   ____

4. ¿En qué año leyó Ud. su primer libro?

   ____

5. ¿En qué año paseó Ud. en bicicleta por primera vez?

   ____

6. ¿En qué año aprendió Ud. a manejar un carro?

   ____

7. ¿En qué año llegó Ud. a la universidad?

   ____

8. ¿En qué año salió Ud. en una cita (*date*) por primera vez?

   ____

Síntesis y repaso

Práctica 1. Un restaurante elegante. Escuche el anuncio del restaurante La Casa e indique si las oraciones son **ciertas (C)** o **falsas (F)**.

VOCABULARIO PRÁCTICO

ubicado	located
el ambiente	atmosphere
frescas	fresh

	C	F
1. El restaurante La Casa está en las afueras de la ciudad.	☐	☐
2. Es posible desayunar o almorzar en el restaurante.	☐	☐
3. El restaurante sirve pasta con camarones o pollo.	☐	☐
4. El restaurante tiene muchos vinos internacionales.	☐	☐
5. El restaurante sólo acepta tarjetas de crédito.	☐	☐

Práctica 2. El alimento perfecto. Listen to the descriptions of the dining preferences of Esteban, Amanda, and Jorge. Then decide which person would be most likely to say the following things to their waiters.

VOCABULARIO PRÁCTICO

fresca	fresh

	ESTEBAN	AMANDA	JORGE
1. Me gustaría tomar una cerveza.	☐	☐	☐
2. Deme un vaso de agua, por favor.	☐	☐	☐
3. Quisiera comer unos camarones.	☐	☐	☐
4. Por favor, no me sirva zanahorias.	☐	☐	☐
5. Por favor, a mí no me traiga un bistec.	☐	☐	☐
6. Por favor, póngale azúcar al té.	☐	☐	☐

Práctica 3. La cena de ayer. Escuche mientras Diego describe su cena de ayer. Luego indique la respuesta apropiada para cada pregunta.

1. ¿Donde cenó la familia?

   ☐ en un restaurante italiano ☐ en un restaurante cubano ☐ en un restaurante mexicano

2. ¿Que comió Diego?

   ☐ ropa vieja ☐ pavo ☐ pescado

3. ¿Qué comieron los primos?

   ☐ un plato de mariscos ☐ tostones ☐ el platillo moros y cristianos

4. ¿Quién bebió mojitos?

   ☐ sólo los tíos ☐ sólo Diego ☐ toda la familia

5. ¿Cómo es el ambiente del restaurante?

   ☐ acogedor ☐ relajante ☐ típico

Práctica 4. La etiqueta española

PASO 1. Read the following etiquette advice for people traveling to Spanish-speaking countries.

COMIDA Y BEBIDAS

Los modales en la mesa[a] juegan un papel importante para dar una buena impresión durante una comida. Tener buenos modales en la mesa es una garantía para el éxito,[b] tanto en nuestras relaciones personales como en los negocios.

- Recuerde que en la mayoría de los países hispanos se sirve la cena[c] alrededor de[d] las nueve.
- No empiece a comer hasta que comience el anfitrión.[e]
- No coma ninguna comida con los dedos, ¡ni la fruta!
- No haga brindis[f] si Ud. no es el anfitrión o el invitado de honor.
- Deje los cubiertos[g] en paralelo sobre el plato para indicar que ha terminado[h] de comer.
- Permanezca en su asiento mientras el anfitrión esté sentado.
- Lleve un regalo[i] para el anfitrión. Lleve flores, un postre o vino.

[a]modales... *table manners* [b]*success* [c]se... *dinner is served* [d]alrededor... *around* [e]*host* [f]haga... *make a toast* [g]*utensils* [h]ha... *you have finished* [i]*gift*

PASO 2. ¿Cierto o falso?

		C	F
1.	Los buenos modales son importantes en la mesa.	☐	☐
2.	En la mayoría de los paísos hispanos, se sirve la cena alrededor de las seis.	☐	☐
3.	Ud. puede empezar a comer después de sentarse a la mesa.	☐	☐
4.	Ud. puede comer la fruta con los dedos.	☐	☐
5.	Para indicar que Ud. no tiene más hambre, ponga su vaso a la derecha.	☐	☐
6.	Es importante llevar un regalo cuando Ud. es invitado a cenar.	☐	☐

PASO 3. Now create a similar list for Spanish speakers who are invited to eat at a home in your culture. Use formal commands.

____

____

____

____

____

____

____

____

Palabra escrita

A finalizar

You are now going to write your final composition, based on the first draft you wrote in the **Palabra escrita: A comenzar** section of your textbook. Remember that the theme for your composition is **Las ventajas y desventajas de comprar los comestibles (*groceries*) en ciertos lugares** and that your purpose is to explain and compare the advantages and disadvantages of buying food in at least three of the following types of stores: superstores (for example, Costco), large supermarket chains (for example, Kroger), local grocery stores, convenience stores, and farmers' markets.

Práctica 1. El borrador. Repase el borrador de su composición para estar seguro de que explicó bien estos temas y que cada párrafo tiene una buena oración temática.

1. la selección
2. los precios
3. la calidad
4. la economía local
5. ¿ ?

Práctica 2. El vocabulario y la estructura. Repase el vocabulario y la gramática de este capítulo. Tenga en cuenta estas preguntas.

1. ¿Incluyó suficiente información para explicar los temas de la **Práctica 1**?
2. ¿Usó el vocabulario apropiado?
3. ¿Usó correctamente los pronombres de objeto directo e indirecto? ¿Escribió correctamente los verbos irregulares? Si usó el pretérito, ¿lo usó correctamente?
4. ¿Están correctamente conjugados los verbos?
5. ¿Concuerdan los adjetivos con los sustantivos que modifican?

Práctica 3. ¡Ayúdame, por favor! Intercambien composiciones con un compañero / una compañera de clase. Repasen las composiciones y háganse sugerencias para mejorarlas o corregirlas.

Práctica 4. El borrador final. Vuelva a escribir su composición y entréguesela a su profesor(a).

Capítulo 7

TEMA I: ¿Está de moda?

Vocabulario del tema

Práctica 1. La ropa apropiada. Empareje cada prenda con la descripción correspondiente.

1. ____ el abrigo
2. ____ el bolso
3. ____ las botas
4. ____ los calcetines
5. ____ la chaqueta
6. ____ la pijama
7. ____ la ropa interior
8. ____ el traje de baño
9. ____ el vestido / el traje
10. ____ los zapatos de tenis

a. para dormir
b. cuando hace mucho frío
c. para una ocasión formal
d. cuando hace fresco
e. para llevar la cartera, el teléfono…
f. va debajo de la otra ropa
g. para nadar
h. para caminar o hacer deportes
i. para caminar en la nieve
j. van antes de los zapatos

Práctica 2. ¿A qué se refieren? Indique si cada palabra se refiere a una talla, un diseño o un material.

	TALLA	DISEÑO	MATERIAL
1. el algodón	☐	☐	☐
2. de cuadros	☐	☐	☐
3. grande	☐	☐	☐
4. liso	☐	☐	☐
5. metálico	☐	☐	☐
6. el cuero	☐	☐	☐
7. de lunares	☐	☐	☐
8. de rayas	☐	☐	☐
9. chico	☐	☐	☐
10. la lana	☐	☐	☐
11. mediana	☐	☐	☐
12. la seda	☐	☐	☐

Gramática

7.1 Preterite: Irregular Verbs

Práctica 1. ¿Quién fue? Answer each question about your shopping habits by saying who went to the store, conjugating the verb **ir** correctly. Then listen and repeat the correct answer.

MODELO (*you hear*) ¿Quién fue al supermercado ayer? (*you see*) mis padres →
(*you say*) Mis padres fueron al supermercado ayer.

1. yo
2. Roque
3. Ana y David
4. tú
5. nosotros
6. yo
7. Uds.
8. mis primos
9. mi amigo

Práctica 2. Un cuento de compras. Cambie los verbos entre paréntesis al pretérito para poner la historia en el pasado.

Hoy ________________[1] (ir) de compras con mi mejor amiga. ________________[2] (Dar) una vuelta por el centro comercial y después ________________[3] (ir) al almacén. Primero ________________[4] (buscar) unos zapatos, pero no ________________[5] (comprar) nada. No ________________[6] (encontrar) nada de moda. ________________[7] (Estar) en el departamento de ropa para mujeres y yo ________________[8] (comprar) una falda de seda blanca. ________________[9] (Tener) mucha suerte y estoy muy satisfecha de mi compra. Al mediodía ________________[10] (tener) que regresar a casa. Mi amiga ________________[11] (ponerse) triste porque no ________________[12] (poder) encontrar nada que comprar de su talla.

Práctica 3. ¡Un robo en el almacén! The police want to question you following a robbery at a department store near campus because you were seen leaving a coffee shop near the scene. Deny everything.

MODELO (*you hear*) ¿Estuviste en el almacén a las once de la mañana? →
(*you say*) No, no estuve en el almacén a las once de la mañana.

1. … 2. … 3. … 4. … 5. … 6. … 7 …

Práctica 4. Nota comunicativa: Preterite Meaning of *conocer, poder, querer, saber* and *tener*. Complete cada oración con la forma apropiada del pretérito de **conocer, poder, querer, saber,** o **tener.**

Yo ________________ una oportunidad muy grande ayer. El director de personal de una compañía me llamó y ________________ convencerme de que aceptara (*I accept*) un puesto en su compañía. Yo no ________________ aceptar el puesto que me ofreció. Él no ________________ convencerme. Pero, otra persona sí ________________ convencerme. ¿Recuerdas que ________________ a Bill Gates en la conferencia del año pasado? Pues, fue él el que me convenció: acepté el trabajo que me ofreció.

Práctica 5. Elogio (*Eulogy*) de mi abuelita. Complete el elogio con el pretérito de los verbos entre paréntesis.

Mi abuela era[a] una persona creativa. Ella _______________[1] (ser) costurera. Ella cosía desde que tenía[b] 5 años porque su abuela le _______________[2] (enseñar) a coser. Ella era una mujer muy inteligente. Una vez _______________[3] (quedarse[c]) sin coser porque no tenía[d] máquina. Entonces _______________[4] (vender) su caja de encajes[e] y con este dinero _______________[5] (poder) comprar una máquina de coser. La familia de mi abuela tenía muchas dificultades económicas, pero ella _______________[6] (contribuir) mucho a sostener a su familia. Cuando era joven, aprendió a coser bien, e _______________[7] (hacer) trajes con telas muy finas, como la seda. Por eso, ella _______________[8] (hacer) vestidos elegantes para las mujeres ricas del pueblo. Un día, ella _______________[9] (ir) a la plaza para mostrar sus vestidos a los turistas también. Los turistas le _______________[10] (pagar) muy bien sus creaciones. Con el dinero que _______________[11] (ganar), _______________[12] (comprar) un coche. Después, nos _______________[13] (hacer) ropa a nosotros, sus nietos. Recuerdo un día que ella _______________[14] (venir) a mi casa para tomarnos las medidas.[f] ¡Cómo me gustaban[g] las faldas de cuero que ella me hacía[h]! Mi abuelita _______________[15] (ser) una persona única.

[a]*she was* [b]cosía... *sewed from the time she was* [c]*to be left* [d]no... *didn't have* [e]*lace* [f]tomarnos... *to take our measurements* [g]me... *I liked* [h]*used to make*

7.2 Preterite: Stem-Changing Verbs

Práctica 1. ¡Yo hice todo lo bueno!

PASO 1. Su jefa le pregunta sobre algunos problemas en la oficina. Explíquele que su compañero de trabajo es responsable de todos los problemas. Luego escuche y repita la respuesta correcta.

MODELO (*you hear*) ¿Quién llegó tarde esta mañana? →
(*you say*) Mi compañero llegó tarde.

1. ... 2. ... 3. ... 4. ... 5. ...

PASO 2. Ahora, explique a su jefa que Ud. es responsable de todas las cosas buenas que ocurrieron. Luego escuche y repita la respuesta correcta.

MODELO (*you hear*) ¿Quién abrió la caja esta mañana?
(*you say*) Yo abrí la caja.

1. ... 2. ... 3. ... 4. ... 5. ...

Práctica 2. La noche en que Raúl conoció a Dania. Escriba oraciones originales en el pretérito para contar la historia de Raúl, basándose en los dibujos.

1. Raúl / preferir ________________
2. él / divertirse ________________
3. él / conseguir ________________
4. los dos / sentirse ________________
5. Raúl / seguir ________________
6. Raúl / pedir ________________
7. ella / preferir ________________
8. ella / dormir ________________

Síntesis y repaso

Práctica 1. Mi ropa preferida. Listen to Susana describe the kinds of clothes she will be looking for on her next shopping trip, and then mark the clothing she would like to buy.

- ☐ pantalones anaranjados de seda
- ☐ un abrigo de cuero
- ☐ un traje de baño verde
- ☐ pantalones de última moda de color gris
- ☐ zapatos de tenis
- ☐ una blusa negra de seda
- ☐ un suéter de lana
- ☐ una falda de lunares morados

Práctica 2. Un almacén. Escuche el anuncio de un almacén y conteste las preguntas, según lo que oye.

1. ¿Qué tipo de ropa tiene el almacén? ________________
2. ¿En qué ropa hay rebajas? ________________
3. ¿De qué materiales son los trajes disponibles? ________________
4. ¿Qué prendas de ropa son de seda? ________________
5. ¿Cuánto cuestan los zapatos? ________________

Práctica 3. Ir de compras. Escuche la conversación entre Ángela y Jaime. Luego indique si cada oración es **cierta** (**C**) o **falsa** (**F**), según lo que oye.

Ángela...	C	F
1. fue de compras a una tienda pequeña.	☐	☐
2. compró ropa interior barata.	☐	☐
3. compró un sombrero de lana.	☐	☐
4. compró zapatos de tacón alto.	☐	☐
5. compró mucho porque le gusta la ropa.	☐	☐

Práctica 4. Óscar de la Renta

PASO 1. Lea la descripción del diseñador Óscar de la Renta.

Óscar de la Renta es uno de los diseñadores de moda hispanos más famosos. Es originario de Santo Domingo, la capital de la República Dominicana. A los 18 años, se mudó a Madrid para estudiar pintura, pero allí el mundo[a] de la moda captó[b] su atención y consiguió trabajo dibujando para casas de moda importantes. Después de unos años, salió para París para trabajar con Antonio Castillo en la casa Lanvin. Unos años después, tuvo que escoger[c] entre dos puestos,[d] uno con Christian Dior y otro con Elizabeth Arden. Hizo su decisión y salió de Europa a los Estados Unidos para trabajar en la casa Elizabeth Arden. Después de dos años, dejó la casa de Arden y colaboró con Jane Derby para crear su propia[e] ropa de diseño. En 1967, introdujo[f] su propia línea.

[a]*world* [b]*captured* [c]*to choose* [d]*positions, jobs* [e]*own* [f]*he introduced*

(*continúa*)

Unos años después de conseguir su ciudadanía[g] estadounidense, uno de sus actos filantrópicos fue para una institución icónico de este país: los *Boy Scouts*. De la Renta hizo el nuevo diseño del uniforme oficial de los *Boy Scouts* en 1981, un diseño que se usó hasta 2002. Hoy en día[h] sus clientes incluyen a muchas celebridades como Hillary Clinton, Beyoncé y Sarah Jessica Parker.

[g]*citizenship* [h]Hoy… *Nowadays*

PASO 2. Conteste las preguntas sobre la lectura del **Paso 1.**

1. ¿Dónde nació Oscar de la Renta?

   ____

2. ¿Adónde fue para estudiar pintura cuando tenía (*was*) 18 años?

   ____

3. Antes de ir a los Estados Unidos, ¿en qué países vivió? Nombre tres.

   ____

4. ¿Por qué razón fue a los Estados Unidos?

   ____

5. ¿Cuándo introdujo su propia línea de ropa?

   ____

6. ¿Qué diseñó en 1981?

   ____

PASO 3. Diseñe un conjunto (*outfit*) para su modelo. Dibuje y describa lo que va a llevar. No se olvide de nombrar cada prenda y de mencionar el color y el material.

____

____

____

Pronunciación

g, gu, and j

The Spanish **j**, as well as **g** (in **gi** and **ge**) are both pronounced in the same way. The sound is somewhat similar to an English *h*, but in most countries you are likely to hear a stronger aspiration.

Práctica 1. La pronunciación de j, ge y gi. Listen and repeat each word, paying close attention to how **j, ge** and **gi** are pronounced.

1. el ajo   2. las joyas   3. la naranja   4. los gemelos   5. el gigante

Práctica 2. Ortografía. Listen to each word containing **j, ge,** or **gi** and spell it.

1. ______________ 3. ______________ 5. ______________

2. ______________ 4. ______________

When **g** is followed by **a, o,** and or with the combinations **ue** or **ui, u,** the Spanish **g** sounds much like the English *g* in words like *gown, give,* or *gain.* The **g** makes a harder sound when it comes at the beginning of a word or when it follows the letter **n.**

Práctica 3. La pronunciación de *g* y *gu*. Listen and repeat words containing the letter **g.** Note that the first five words have a "soft" **g,** the last five have a "hard" **g.**

1. el yogur
2. la galleta
3. elegante
4. la gorra
5. algodón
6. la langosta
7. **gui**santes
8. gustar
9. gato
10. **gu**antes

Práctica 4. Ortografía. Listen to the following phrases containing **g** and **j** and spell them.

1. ______________________ 4. ______________________

2. ______________________ 5. ______________________

3. ______________________ 6. ______________________

TEMA II: Los mercados y los almacenes

Vocabulario del tema

Práctica 1. Los materiales. Escriba el material que mejor corresponde a cada objeto.

arcilla	cuero	diamante
	madera	oro y plata

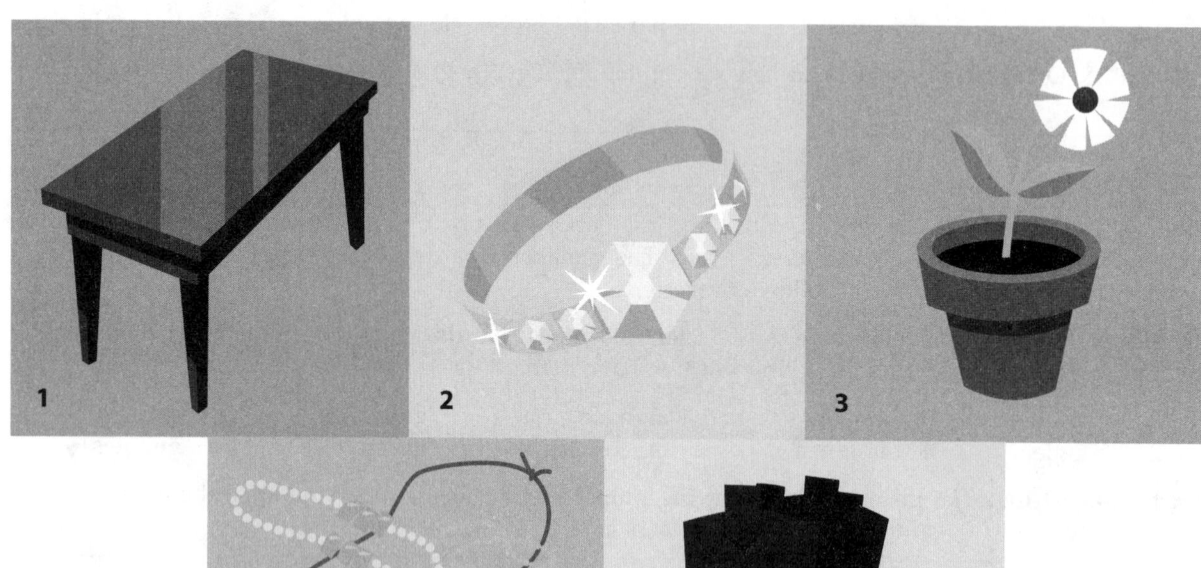

1. Es de ____________________.
2. Es de ____________________.
3. Es de ____________________.
4. Son de ____________________.
5. Son de ____________________.

Práctica 2. Definiciones. Lea las descripciones e indique la palabra correspondiente.

1. una joya que tradicionalmente se usa como un símbolo del matrimonio
   ☐ el anillo ☐ el brazalete ☐ el collar
2. una tienda que vende cosas para niños
   ☐ la floristería ☐ la juguetería ☐ la papelería
3. se usan en las manos cuando hace frío
   ☐ los guantes ☐ las joyas ☐ las medias
4. las mujeres lo usan en la cara
   ☐ el polo ☐ la corbata ☐ el maquillaje
5. es donde se ponen las tarjetas de crédito y el dinero
   ☐ el cinturón ☐ la canasta ☐ la cartera

Gramática

7.3 Impersonal and Passive **se**

Práctica 1. ¿Se vende aquí? Listen to each question about where items are sold. Answer logically using the impersonal **se** or passive **se** construction. Then listen and repeat the correct answer.

MODELO (*you hear*) ¿Se vende papel en la juguetería? →
(*you say*) No, no se vende papel en la juguetería.

1. … 2. … 3. … 4. … 5. … 6. … 7. …

Práctica 2. Letreros (*Signs*). You have a summer job in Puerto Rico making signs. Read each client's request and write one line to be printed on his/her sign. Use the impersonal **se** construction.

1. Tengo una juguetería y soy bilingüe. Puedo comunicarme en inglés y español.
   ______
2. Necesito un letrero para evitar que las personas fumen en mi perfumería.
   ______
3. ¡Ayude, por favor! Muchas personas vienen a nuestra papelería buscando maquillaje, pero aquí no vendemos eso.
   ______
4. Necesito comunicarles a mis clientes que tengo pan fresco todos los días a las ocho de la mañana.
   ______
5. Muchas personas vienen a comer a mi comedor, pero se van sin pagar la comida. ¿Puede ayudarme?
   ______

7.4 **Se** for Unplanned Occurrences

Práctica 1. «La prisa es mala consejera» (*Haste makes waste*). Complete la conversación entre Lola y Anabel usando las expresiones de la lista.

se nos acabó	se me cayó	se me olvidó	se me rompió
se nos acabaron	se me cayeron	se me olvidaron	se me rompieron

ANABEL: Hola, Lola. ¿Estás lista para ir al mercado?

LOLA: Un momento. ______[1] la cartera en el dormitorio.

ANABEL: Ahora bien. Vamos. ¿Estás lista?

LOLA: ¡Ay! Espera. ______[2] un arete en el lavabo.

ANABEL: Lo siento, pero no tenemos tiempo para buscarlo ahora.

LOLA: Tienes razón. Vamos de compras, pero tengo sed. Primero quiero beber un jugo de naranja.

ANABEL: Bueno, si insistes, ¡pero date prisa!

(*continúa*)

LOLA: ¡Qué mala suerte! ________________________[3] el jugo. Tenemos que ir a comprar algo para tomar.

ANABEL: No tenemos tiempo. Tenemos que irnos ahora si queremos gangas.

LOLA: Muy bien, vamos. ¡Ten cuidado! ¡Ay, te caíste por la escalera!

ANABEL: Ayyyyy, ¡qué dolor! ¡Creo que ________________________[4] los dos brazos!

Práctica 2. ¿Qué les pasó? Using the preterite tense, write what happened to the following people based on the drawings and the subject cue. Use **se** for unplanned occurrences.

VOCABULARIO PRÁCTICO

la escultura	sculpture
el espejo	mirror
la gasolina	gas

1.  (yo) ________________________

2.  (tú) ________________________

3.  (ella) ________________________

4.  (nosotros) ________________________

5. (ellos) ______________________

6. (Uds.) ______________________

Práctica 3. No es así. Respond to your father's questions using **se** for unplanned occurrences. Use the verbs provided in your answers, then listen and repeat the correct answer.

MODELO (*you hear*) Hace mucho frío. ¿Por qué no llevas guantes?
(*you see*) olvidar →
(*you say*) Se me olvidaron los guantes.

1. olvidar 2. romper 3. acabar 4. caer 5. romper

Síntesis y repaso

Práctica 1. En el mercado. Escuche la conversación entre un vendedor y un cliente e indique si las oraciones son **ciertas** (C) o **falsas** (F).

	C	F
1. El cliente quiere comprar un reloj.	☐	☐
2. El reloj de plástico cuesta demasiado.	☐	☐
3. El vendedor tiene tres tipos de relojes.	☐	☐
4. El cliente y el vendedor regatean.	☐	☐
5. El cliente compra el reloj de plata.	☐	☐

Práctica 2. ¿Adónde fue? Listen to Juanita describe her errands. Then indicate to which stores she went and list the things she bought at each one.

☐ la floristería ______________
☐ la zapatería ______________
☐ la juguetería ______________
☐ la joyería ______________
☐ la librería ______________
☐ la frutería ______________

Práctica 3. Los regalos perfectos. Listen to each person say something about himself or herself. Then write down the gift from the list that would be most suitable.

una canasta	la cerámica	una escultura	unos guantes
una cartera	un collar	una falda	el maquillaje

1. ____________________
2. ____________________
3. ____________________
4. ____________________
5. ____________________

Práctica 4. Los piratas del Caribe

PASO 1. Lea sobre los piratas del Caribe.

En el Caribe se ven muchas fortalezas[a] enormes que protegieron a la gente de las islas en el pasado. Desde aproximadamente el año 1550 hasta 1730, los piratas fueron muy activos en la zona. Durante esos años, hubo muchos conflictos sobre la colonización de las islas, especialmente entre los países con mucho poder: Gran Bretaña, Francia, España, Portugal y los Países Bajos.[b] España controló la mayor parte de las islas caribeñas y los barcos españoles fueron atacados con frecuencia. Por ejemplo, unos piratas de los Países Bajos capturaron más de 500 barcos españoles entre los años 1620 y 1640. Los piratas querían apoderarse de los tesoros[c] de los barcos españoles que iban[d] a Sevilla en España: oro, plata, esmeraldas, maderas exóticas, azúcar, especias, tabaco y sal.

Los españoles construyeron grandes fortalezas para proteger sus islas y sus tesoros. En Puerto Rico se construyó la fortaleza San Felipe del Morro para guardar la entrada a la capital, San Juan. Cuba, la isla más grande, tuvo dos fortalezas muy grandes: Castillo Morro y Castillo de la Punta. En la isla la Española (que hoy está dividida entre la República Dominicana y Haití) también se construyeron muchas fortalezas.

[a]*forts* [b]Países… *Netherlands* [c]querían… *wanted to seize the treasures* [d]*went*

PASO 2. Conteste las preguntas, según la lectura del **Paso 1.**

1. ¿Cuándo operaron con más éxito los piratas del Caribe?

   ____

2. ¿Cuáles fueron los cinco países que tuvieron mucho poder en el Caribe durante la colonización de las Américas?

   ____

3. ¿Quiénes tuvieron que defenderse de los piratas más que los otros?

   ____

4. ¿Qué cosas robaron los piratas?

   ____

5. Durante el período de colonización, ¿cómo se llamaba (*was called*) la isla que ahora comparten la República Dominicana y Haití?

   ____

PASO 3. You are a pirate of the Caribbean that attacked a Spanish ship. Using the information from the reading, describe what happened and what treasure you gained. You may want to consult another source to help you make your decision.

____

____

____

____

____

____

Palabra escrita

A finalizar

You are now going to write your final composition, based on the first draft you wrote in the **Palabra escrita: A comenzar** section of your textbook. Remember that the theme for your composition is **Lo que hice el fin de semana pasado** and that your purpose is to tell the reader about what you did last weekend.

Práctica 1. El borrador. Repase el borrador de su composición para estar seguro de que contestó bien estas preguntas.

1. ¿Qué hizo el fin de semana pasado para divertirse?
2. ¿Qué hizo con sus amigos? ¿Fueron al cine? ¿Fueron de compras? ¿Dieron una fiesta? ¿Salieron a bailar? ¿Hicieron otra cosa?
3. ¿Qué ropa se puso durante el fin de semana? ¿Se vistió con ropa de todos los días o tuvo que llevar ropa especial para ir al trabajo o a algún evento especial?

Práctica 2. El vocabulario y la estructura. Repase el vocabulario y la gramática de este capítulo. Tenga en cuenta estas preguntas.

1. ¿Incluyó suficiente información para contestar las preguntas de la **Práctica 1**?
2. ¿Usó el vocabulario apropiado?
3. ¿Escribió correctamente los verbos irregulares en el pretérito?
4. ¿Están correctamente conjugado los verbos?
5. ¿Concuerdan los adjetivos con los sustantivos que modifican?

Práctica 3. ¡Ayúdame, por favor! Intercambien composiciones con un compañero / una compañera de clase. Repasen las composiciones y háganse sugerencias para mejorarlas o corregirlas.

Práctica 4. El borrador final. Vuelva a escribir su composición y entréguesela a su profesor(a).

Answer Key

CAPÍTULO PRELIMINAR

Tema I

Vocabulario del tema **Práctica 1:** 1. e 2. d 3. c 4. f 5. a 6. b **Práctica 2:** 1. cómo 2. Me llamo 3. nombre 4. Igualmente 5. De dónde eres 6. Y tú 7. Buenos días 8. usted 9. gracias 10. De nada **Práctica 3:** 1. veintisiete 2. nueve 3. catorce 4. treinta 5. dieciséis 6. cinco 7. once 8. veintidós 9. dieciocho 10. cuatro **Práctica 4:** 1. veintiséis 2. quince 3. dos 4. veintinueve 5. diez 6. diecisiete **Práctica 5:** 1. 3 2. 21 3. 12 4. 6 5. 8 6. 10 7. 1 8. 13

Gramática P.1 **Práctica 1, PASO 1:** 1. las 2. la 3. los 4. la 5. el 6. los **PASO 2:** 7. un 8. unos 9. unas 10. una 11. un 12. un **Práctica 2, PASO 1:** 1. los cuadernos 2. los lápices 3. los papeles 4. las sillas 5. los dólares **PASO 2:** 1. la novela 2. el mapa 3. la sandalia 4. el diccionario 5. la luz

Gramática P.2 **Práctica 1:** 1. Ud. 2. tú 3. tú 4. Ud. 5. Ud. 6. Uds. 7. tú 8. tú 9. Uds. 10. Uds. **Práctica 2:** 1. ella 2. él 3. ellos 4. ellas 5. nosotros 6. Uds. 7. ellos 8. ella 9. Uds. 10. él **Práctica 3:** 1. soy 2. somos 3. son 4. son 5. Son 6. Es 7. son 8. es 9. eres 10. es

Síntesis y repaso **Práctica 1:** 1. Se llama Luis Gómez. 2. Se llaman Roberto y Marcos. 3. Muy bien. 4. Roberto 5. Marcos 6. el profesor/Luis Gómez **Práctica 2:** 1. AMBOS 2. ESTUDIANTE 3. PROFESOR 4. PROFESOR 5. AMBOS 6. ESTUDIANTE **Práctica 3: PASO 1.** 1. Cómo te llamas / Cuál es tu nombre 2. De dónde eres 3. Cuántos estudiantes hay **PASO 2.** ESTUDIANTE 1: María, México, 23 (veintitrés) ESTUDIANTE 2: Antonio, Puerto Rico, 15 (quince) ESTUDIANTE 3: Gloria, California, 28 (veintiocho) **Práctica 4: PASO 2.** 1. AMBOS 2. ADAM 3. ADAM 4. DANIA 5. DANIA

Pronunciación **Práctica 4:** 1. Eva Muñoz 2. Luis Flores 3. Carlos Delgado

CAPÍTULO 1

Tema 1

Vocabulario del tema **Práctica 1:** 1. F 2. C 3. F 4. C 5. F 6. F 7. F 8. F **Práctica 2:** 1. una mochila, un teléfono celular 2. unos libros de texto, un cuaderno 3. una mochila, un cuaderno 4. una mochila, un bolígrafo **Práctica 3:** 1. b 2. c 3. b 4. a 5. d 6. d **Práctica 4:** 1. inglés, literatura 2. ciencias políticas, derecho 3. biología, química 4. escultura, pintura 5. arquitectura, ingeniería **Práctica 5:** 1. d 2. c 3. a 4. f 5. h 6. e 7. b 8. g

Gramática 1.1 **Práctica 2:** 1. aburridas 2. grande 3. perezoso 4. antipáticos 5. bajos 6. malas 7. feo **Práctica 4:** 1. tu 2. Su 3. Su 4. Mi 5. tu 6. Mi

Gramática 1.2 **Práctica 1:** 1. gustan 2. gustan 3. gusta 4. gusta 5. gusta 6. gusta 7. gusta 8. gusta

Síntesis y repaso **Práctica 1:** 1. cálculo, química, sicología, español, anatomía 2. difíciles 3. medicina 4. español 5. interesante **Práctica 2:** 1. b 2. c 3. a 4. b 5. c **Práctica 3:** 1. F 2. C 3. F 4. C 5. C **Práctica 4: PASO 2.** 1. F 2. F 3. F 4. F 5. C 6. C

Tema II

Vocabulario del tema **Práctica 1:** 1. jueves 2. sábado 3. miércoles 4. domingo 5. viernes **Práctica 2:** 1. 12:30 2. 9:25 3. 2:45 4. 5:53 5. 1:05 **Práctica 3:** 1. Son las nueve menos cuarto de la mañana./Son las nueve menos quince de la mañana. 2. Es medianoche. 3. Son las cinco menos veinte de la tarde. 4. Son las nueve y diez de la noche. 5. Son las tres y media de la tarde. 6. Son las siete menos cinco de la mañana. **Práctica 4:** 1. a las once 2. una 3. a las tres de la tarde 4. historia de Europa, ciencias políticas y español 5. a la una de la tarde 6. seis horas 7. sicología y geografía

Gramática 1.3 **Práctica 2:** 1. practicamos 2. regresa 3. hablo 4. toman 5. trabajan 6. buscas 7. cantan 8. toco

Gramática 1.4 **Práctica 1:** 1. creen 2. leen 3. comen 4. escriben 5. viven 6. asisten 7. reciben **Práctica 2:** 1. aprendo 2. escribimos 3. asisten 4. debes 5. comprendo 6. cree 7. lees 8. abrimos 9. recibe 10. venden **Práctica 4:** 1. Corre en el parque. 2. Escucha música. 3. Lee muchos libros. 4. Trabaja en una tienda. 5. Asiste a un concierto. 6. Habla con una amiga.

Síntesis y repaso **Práctica 1:** 1. ocho o nueve 2. la cafetería 3. una gran biblioteca 4. cuatro o cinco 5. español, historia, arquitectura, matemáticas 6. flexibles, inteligentes 7. béisbol, tenis, fútbol 8. hablan con sus amigos, bailan

Práctica 2:

	lunes	martes	miércoles	jueves	viernes
8:00	historia		historia		historia
9:00					
10:00	ciencias políticas		ciencias políticas		ciencias políticas
11:00		derecho		derecho	
12:00	cafetería		cafetería		restaurante
13:00		sociología		sociología	
14:00					
15:00		español		español	
16:00	estudiar	estudiar	estudiar	estudiar	estudiar

Práctica 3: 1. F: Julio estudia lingüística y Celia estudia ingeniería. 2. F: Celia trabaja en la librería. 3. C 4. C 5. C 6. F: Julio toca el piano **Práctica 4: PASO 2.** 1. muchos, trescientos 2. tres 3. parte del día 4. los niños

CAPÍTULO 2

Tema I

Vocabulario del tema **Práctica 1:** 1. Nada en la piscina. 2. Corre en el parque. 3. Juega al baloncesto. 4. Navegan en Internet. **Práctica 2:** 1. PARQUE 2. CASA 3. PARQUE 4. PARQUE 5. CASA 6. PARQUE **Práctica 3:** 1. b 2. c 3. c 4. a 5. c 6. a **Práctica 5:** 1. verde 2. morado 3. negro 4. amarillo 5. rojo 6. blanco 7. gris 8. anaranjado 9. azul

Gramática 2.1 **Práctica 1:** 1. c. 2. f. 3. e. 4. b. 5. d. 6. a **Práctica 2:** 1. a 2. b 3. b 4. b 5. a 6. b **Práctica 3:** 1. pone 2. sale 3. hago 4. ven 5. hace 6. trae 7. salen 8. hacen 9. oímos 10. oyes

Gramática 2.2 **Práctica 3:** 2. va a jugar al fútbol 3. va a patinar en línea 4. van a andar en bicicleta 5. voy a nadar 6. vas a sacar fotos 7. vamos a correr 8. va a mirar televisión

Síntesis y repaso **Práctica 1:** 1. Nicolás y Felipe 2. Nicolás y Felipe 3. Nicolás 4. Felipe 5. Nicolás **Práctica 2:** 1. F 2. C 3. F 4. F 5. C **Práctica 3:** 1. b 2. b 3. d 4. a 5. c 6. d **Práctica 4, PASO 2:** 1. a, b, c, d 2. a 3. d 4. a, b, d 5. a 6. b

Tema II

Vocabulario del tema **Práctica 1:** 1. cinco, frío 2. veintiocho, calor 3. quince, fresco 4. treinta y cinco, calor **Práctica 2:** 1. junio, julio, agosto; hace sol, hace calor 2. diciembre, enero, febrero; hace frío, nieva 3. septiembre, octubre, noviembre; hace fresco, está nublado 4. marzo, abril, mayo; llueve, hace fresco **Práctica 3:** 1. b 2. a 3. b 4. b 5. b

Gramática 2.3 **Práctica 2:** 1. el libro de texto 2. Antonia 3. el pizarrón 4. los papeles 5. el lápiz de la profesora 6. los estudiantes **Práctica 4:** 1. c 2. f 3. b 4. e 5. a 6. d **Práctica 5:** 1. estoy 2. está 3. están 4. está 5. estamos 6. está 7. están 8. estás

Gramática 2.4 **Práctica 1:** 1. está comprando 2. están viendo 3. están haciendo 4. está leyendo 5. están trabajando 6. estoy hablando 7. estamos paseando 8. estás haciendo

Síntesis y repaso **Práctica 1:** 1. Es sábado. 2. Es junio. 3. Hace muy buen tiempo. 4. 30 grados centígrados. / 86 grados Fahrenheit. 5. No, no está nublado (en Guadalajara) 6. Hace muy mal tiempo. 7. 15 grados centígrados / 59 grados Fahrenheit. 8. Sí, hace viento (en Buenos Aires). **Práctica 2:** 1. C 2. B 3. C **Práctica 3:** 1. Trabaja tres o cuatro días por semana y tiene clases todos los días. Trabaja y estudia mucho. 2. Está enferma y cansada. 3. Le gusta el verano porque hace buen tiempo. 4. Va a jugar al vólibol, nadar, salir a escuchar música y bailar. 5. No va a trabajar o estudiar. **Práctica 4, PASO 1:** 1. Lidia Tinieblas 2. Es de Cancún, México. 3. Estudia en la Universidad Nacional Autónoma de México. 4. Desea poder vivir exclusivamente de su arte. 5. Trabaja en un estudio de escenografía. **PASO 2:** 6. Artesanía Blog en español 7. Contacto 8. cinco 9. Publica tu testimonio

CAPÍTULO 3

Tema I

Vocabulario del tema **Práctica 1:** 1. lavar los platos, quitar la mesa, sacar la basura, trapear 2. arreglar el cuarto, hacer la cama, pasar la aspiradora, planchar la ropa **Práctica 2:** 1. e 2. c 3. a 4. d 5. b

Gramática 3.2 **Práctica 1:** 1. tengo suerte 2. tiene prisa 3. tenemos calor 4. tienen éxito 5. tienes miedo **Práctica 2:** 1. tengo 2. tenemos 3. viene 4. quiero 5. prefiere 6. vienen 7. quieren 8. prefiero 9. tengo 10. prefiero **Práctica 4. Nota comunicativa:** 1. tiene que pasar la aspiradora / barrer el piso / trapear 2. tengo que sacar la basura 3. tenemos que lavar los platos 4. tienes que planchar la ropa 5. tienen que secar las toallas 6. tiene que lavar la ropa

Síntesis y repaso **Práctica 1:** 1. Ángela 2. José 3. Ángela 4. José 5. José 6. Manuel 7. Ángela 8. Manuel 9. José 10. Manuel **Práctica 2:** 1. C 2. F 3. C 4. F 5. C **Práctica 3:** 1. Robert necesita cortar el césped. 2. Está lloviendo. 3. Prefiere trabajar en casa. 4. Va a lavar, secar y planchar la ropa. 5. Va a pasar la aspiradora y trapear. **Práctica 4, PASO 2:** 1. a, c 2. b 3. b 4. a 5. c 6. a, b

Pronunciación **Práctica 4:** 1. aquí 2. chimpancé 3. delgado 4. simpático 5. matrícula 6. alemanes 7. estadística 8. actitud **Práctica 5:** 1. árabe 2. dominó 3. francés 4. japonés 5. matemáticas 6. así 7. está 8. fútbol 9. jardín 10. miércoles 11. café 12. física 13. informática 14. lápiz 15. música

Tema II

Vocabulario del tema **Práctica 1:** 1. b 2. a 3. a 4. a **Práctica 2:** 1. jugar a las cartas 2. levantar pesas 3. hacer yoga 4. jugar a los videojuegos 5. ir al cine 6. jugar al billar 7. asistir a la iglesia

Gramática 3.3 **Práctica 1:** 1. a. pensar b. perder c. cerrar d. empezar e. entender 2. a. jugar b. almorzar c. dormir d. volver e. poder 3. a. repetir b. pedir c. servir d. seguir **Práctica 2:** 1. piensas 2. quiero 3. Cierro 4. entiendo 5. empieza 6. puedo 7. pierden 8. juega 9. Pienso 10. Tienes 11. almorzamos 12. Podemos **Práctica 3, PASO 1:** 1. Almuerza a las doce y cuarto / a las doce y quince. 2. Puede llamar a su novia. 3. Vuelve a clase a las dos y media. 4. Juega al rugby. 5. Duerme a las once y media. **Práctica 4:** 1. Sirven 2. podemos 3. puedes 4. consigues 5. pides 6. quiero 7. Pienso 8. entiendo

Gramática 3.4 **Práctica 1:** 1. e 2. a 3. d 4. f 5. a 6. b 7. c 8. b 9. a 10. c 11. a 12. d **Práctica 2:** 1. sé 2. conocemos 3. sabes 4. saben 5. conocen 6. sabe 7. conozco 8. conoces 9. Sabes 10. conocen **Práctica 4. Nota comunicativa, PASO 1:** 1. sí 2. no 3. no 4. sí **PASO 2.** 1. a 2. x 3. x 4. a

Síntesis y repaso **Práctica 1:** 1. b 2. a 3. c 4. a 5. d **Práctica 2, PASO 1:** 1. tomar café 2. doblar la ropa 3. asistir a la iglesia 4. hacer yoga 5. mirar la televisión **PASO 2.** *Possible answers:* 1. María debe practicar yoga. 2. Alisa debe tomar café con sus amigos. **3.** Susana debe asistir a la iglesia. **Práctica 3:** 1. 10, DISTRACCIÓN 2. 6, OBLIGACIÓN 3. 5, DISTRACCIÓN 4. 9, DISTRACCIÓN 5. 2, OBLIGACIÓN 6. 12, DISTRACCIÓN 7. 1, OBLIGACIÓN 8. 8, OBLIGACIÓN 9. 3, DISTRACCIÓN 10. 11, DISTRACCIÓN 11. 7, OBLIGACIÓN 12. 4, DISTRACCIÓN **Práctica 4, PASO 2:** 1. b 2. c 3. c 4. b

CAPÍTULO 4

Tema I

Vocabulario del tema **Práctica 1:** 1. tío 2. madre 3. abuela 4. yerno 5. primo 6. sobrino 7. hermano 8. suegra 9. hijo 10. cuñada 11. nieta 12. esposo **Práctica 2:** 1. madre; cuarenta 2. abuelo; setenta y seis 3. hermana; diecisiete 4. padre; cuarenta y tres 5. hermano; tres **Práctica 3:** 1. C 2. F: El padre de Manolo es trabajador. 3. C 4. C 5. F: La abuela de Julio es delgada. 6. F: El cuñado de Lisa es pelirrojo. **Nota comunicativa** 1. tienen 71 años 2. tiene 49 años 3. tiene 44 años 4. tiene 4 años 5. tiene 2 años 6. tiene 36 años 7. tiene 42 años

Gramática 4.1 **Práctica 1:** 1. g 2. e 3. a 4. d 5. h 6. i 7. b 8. c 9. f **Práctica 3:** 1. Por 2. por 3. por 4. por 5. para 6. para 7. por 8. Por 9. para 10. por 11. por 12. por 13. por 14. Por 15. por 16. Para 17. por 18. para 19. para 20. por

Gramática 4.2 **Práctica 1:** 1. estos 2. esos 3. aquellos 4. este 5. ese 6. aquel 7. aquella 8. esa 9. esta 10. aquellas 11. esas 12. estas **Práctica 3:** 1. Este, Ese 2. Este, Ese 3. Esta, Esa 4. Esta, Esa 5. Estas, Esas 6. Estos, Esos

Síntesis y repaso **Práctica 1:** 1. madre 2. Nueva York 3. padre 4. 1962 5. dos 6. hermana 7. 18 8. jugar **Práctica 2:** 1. Mateo; tío 2. Andrea; prima 3. Eduardo; primo 4. María, abuela 5. Sandra; hermana **Práctica 3:** 1. Tiene 11 años. 2. Tiene ocho primos. 3. Son extrovertidos. 4. Tiene 34 años. 5. Es profesor. 6. Es delgado y moreno. **Práctica 4, PASO 2:** 1. el Real Madrid 2. el mejor equipo del siglo XX 3. más de sesenta años 4. ochenta mil, tres cientos cincuenta y cuatro 5. entre 150€ y 300€ **PASO 3.** 1. F 2. F 3. C 4. C 5. C 6. C 7. F

Pronunciación **Práctica 3:** 1. Busco una bicicleta nueva. 2. Voy a la biblioteca. 3. Mis abuelos están divorciados. 4. Está nevando. 5. Está nublado. 6. Llueve.

Tema II

Vocabulario del tema **Práctica 1:** 1. madre 2. hijastra 3. hermanastros 4. hermano 5. padrastro **Práctica 2: PASO 1.** 1. la soltera 2. el divorcio 3. el matrimonio 4. los gemelos 5. la boda 6. el viudo 7. el hijo único

Gramática 4.3 **Práctica 1:** 1. más rica que 2. menos mascotas que 3. más grande que 4. corren más rápido que 5. cocinan mejor que 6. más zapatos que 7. menos inteligentes que 8. más horas que **Práctica 2:** 1. mejor 2. mayor 3. menores 4. peores

Gramática 4.4 **Práctica 1, PASO 2:** 1. corre tanto como 2. estudia tanto como 3. come tanto como 4. tiene tanto dinero como 5. tienes tantos gatos como 6. tiene tantas casas como 7. tengo tanta suerte como **Práctica 2:** 1. menos 2. más 3. más 4. tan 5. tan 6. como 7. menor que 8. mayor que 9. que **Práctica 5:** 1. buenísimo 2. cariñosísimo 3. torpísimo 4. altísima 5. inteligentísima 6. guapísimo 7. orgullosísimos 8. feísimo 9. nerviosísima 10. unidísimas

Síntesis y repaso **Práctica 1:** 1. Mateo 2. Marisol 3. Rodrigo 4. Beatriz 5. Carlos **Práctica 2:** 1. F 2. F 3. F 4. C 5. C 6. C **Práctica 3:** 1. Roberto 2. la persona soltera 3. su esposo 4. la abuela 5. Rosa y Pablo **Práctica 4: PASO 2.** 1. España 2. el presidente de los Estados Unidos 3. España 4. España 5. España

CAPÍTULO 5

Tema I

Vocabulario del tema **Práctica 1:** 1. la casa 2. el jardín 3. el balcón 4. la ventana 5. el edificio de apartamentos 6. la planta baja 7. el primer piso 8. el segundo piso 9. la calle **Práctica 2:** 1. a 2. a 3. a 4. b 5. a 6. b

Gramática 5.1 **Práctica 1, PASO 1:** 1. inglés, lo 2. los libros, los 3. un *iPod* bellísimo, lo 4. español, lo 5. las lecciones, las 6. dos botellas de Coca-Cola, las 7. la televisión, la 8. un lavabo, lo 9. las rosas, las 10. una estantería, la 11. al billar, lo 12. la música que me gusta, la **PASO 2.** 1. Lo estudio. 2. Los traemos a clase todos los días. 3. Lo tengo. 4. El profesor lo enseña. 5. Las leemos cada día. 6. Mi compañero las bebe todos los días. 7. La miras mucho. 8. Lo tenemos en nuestro cuarto. 9. Las ponen en la mesa. 10. A la derecha de mi mesita de noche, la tengo. 11. En mi casa lo jugamos. 12. La escucho en casa. **Práctica 2, PASO 1:** 1. a Anita, la 2. a Damián, lo 3. a la muchacha guapísima, la 4. a mí, me 5. a ti, te 6. a ti, te 7. a tu hermanito, lo 8. a los abuelos, los 9. a nosotras, nos 10. a Uds., los **PASO 2.** 1. la 2. lo 3. la 4. te 5. me 6. me 7. lo 8. los 9. las 10. nos **Práctica 3:** 1. Los voy a hacer. / Voy a hacerlos. 2. No los puedo invitar. / No puedo invitarlos. 3. La voy a llamar. / Voy a llamarla. 4. ¿La quieres pedir? / ¿Quieres pedirla? 5. ¿La debemos beber? / ¿Debemos beberla? 6. ¿Me puedes ayudar? / ¿Puedes ayudarme? **Práctica 4:** 1. Sí, lo estoy barriendo. / Sí, estoy barriéndolo. 2. Sí, lo estoy arreglando. / Sí, estoy arreglándolo. 3. Sí, la estoy haciendo. / Sí, estoy haciéndola. 4. Sí, la estoy pidiendo. / Sí, estoy pidiéndola. 5. Sí, las estoy limpiando. / Sí, estoy limpiándolas. 6. Sí, te estoy escuchando. / Sí, estoy escuchándote.

Gramática 5.2 **Práctica 1:** 1. e. 2. g. 3. a. 4. d. 5. h. 6. b. 7. c. 8. f. 9. i **Práctica 3:** 1. es aburrido, están aburridos 2. son ricos, está rico 3. es listo, está lista

Síntesis y repaso **Práctica 1:** 1. el centro 2. el bulevar 3. amueblados 4. céntrico 5. balcón **Práctica 2:** 1. Está cansada. 2. Es bajo. 3. Está alegre. 4. Está enfermo. 5. Es vieja. 6. Es alto. **Práctica 3:** 1. Vive en las afueras de Segovia. 2. Es alto, delgado y extrovertido. 3. Porque su vecino y los amigos escuchan música. 4. Le gusta cocinar. 5. Lo visita los fines de semana. **Práctica 4, PASO 2:** 1. F: Mi casa ideal está en Málaga, España. 2. F: Está en la playa. 3. F: Tiene un jardín con muchas flores. 4. C 5. C

Pronunciación **Práctica 3:** 1. caro 2. carro 3. moreno 4. barrer 5. abril 6. rubia 7. rosado 8. triste

Tema II

Vocabulario del tema **Práctica 1:** 1. una mesita, un sillón, una chimenea 2. una cafetera, un refrigerador, un horno 3. un cuadro, una alfombra, una cómoda 4. un inodoro 5. una mesa, unas sillas **Práctica 2:** 1. entre 2. dentro de 3. debajo de 4. a la izquierda de 5. enfrente de 6. encima de 7. a la derecha de 8. al lado de 9. delante de

Gramática 5.3 **Práctica 1:** 1. e 2. b 3. a 4. d 5. c **Práctica 3:** 1. se despierta 2. se baña / se ducha 3. se seca 4. se viste 5. se lava los dientes 6. se maquilla 7. se divierte 8. se acuesta **Práctica 4:** 1. nos afeitamos, nos bañamos, nos duchamos, nos lavamos, nos maquillamos 2. nos despertamos, nos vestimos, estudiamos, hacemos la cama, pasamos la aspiradora 3. cocinamos, desayunamos, almorzamos, cenamos, trapeamos el piso **Práctica 5:** 1. bañarme 2. despertarme 3. relajarme 4. maquillarme 5. vestirme 6. ducharme 7. me, divertir 8. me, lavar 9. me, afeitando 10. me, vistiendo 11. secándome 12. divirtiéndome **Práctica 6** 1. primera 2. Segundo 3. tercera 4. Cuarto 5. quinta 6. sexta 7. primera 8. segunda 9. séptima 10. Octavo 11. noveno

Gramática 5.4 **Práctica 1:** 1. f 2. d 3. e 4. h 5. i 6. j 7. g 8. b 9. a 10. c **Práctica 2:** 1. No 2. Siempre 3. ningún 4. ni 5. ni 6. Tampoco 7. nadie 8. nunca 9. algún 10. alguien **Práctica 3:** 1. algo 2. no 3. Nadie 4. Siempre 5. alguien 6. ni 7. tampoco 8. nada

Síntesis y repaso **Práctica 1:** 1. sofá: Hay un sofá. Es grande. 2. lámpara: Hay dos lámparas. Son altas y bellas. 3. televisión: Hay una televisión. Es pequeña pero funciona bien. 4. estanterías: Hay cuatro estanterías. Son viejas. **Práctica 2:** 1. F: No hay una estantería. 2. F: No hay una mesita de noche. 3. C 4. F: La cómoda cuesta más que el sillón. 5. F: El escritorio cuesta ciento treinta y siete dólares y ochenta y nueve centavos. 6. F: La lámpara cuesta menos que el microondas. 7. C 8. F: La lámpara y el escritorio cuestan menos que la cómoda. **Práctica 3:** 1. La casa de Sara 2. La casa de Sara 3. La casa de Sara 4. La casa de Sean 5. La casa de Sean 6. La casa de Sean **Práctica 4, PASO 2:** 1. C 2. C 3. F 4. C 5. C

CAPÍTULO 6

Tema I

Vocabulario del tema **Práctica 1:** 1. el bistec, el tocino, el pavo, el pollo 2. la piña, las uvas, las espinacas, la zanahoria 3. el atún, los camarones, la langosta 4. la leche, el queso, el yogur 5. el arroz, el pan 6. el azúcar, la sal 7. el agua, la champaña, la leche **Práctica 2:** 1. el pavo 2. el arroz 3. la lechuga 4. el mango 5. el aceite

Gramática 6.1 Práctica 1: 1. le 2. les 3. les 4. me 5. nos 6. le 7. les 8. te **Práctica 3:** 1. vamos a mostrarte (te vamos a mostrar) nuestros buenos modales 2. vamos a darte (te vamos a dar) nuestros juguetes antes de comer 3. vamos a decirle (le vamos a decir) «Gracias» a la camarera 4. vamos a pasarle (le vamos a pasar) la comida a nuestro hermanito 5. vamos a decirte (te vamos a decir) cuándo necesitamos ir al baño

Gramática 6.2 Práctica 1, PASO 1: 1. ensalada, la mujer bonita 2. unas servilletas, los niños 3. el aceite de oliva, los ricos 4. las gracias los jóvenes 5. el azúcar, el hombre que bebe café **PASO 2.** 1. Se la doy. 2. Se las traigo. 3. Se lo pongo. 4. Se las doy. 5. Se lo necesito dar. / Necesito dárselo. **Práctica 2:** 1. Les 2. Se las 3. Les 4. Se la 5. Les 6. Se la 7. le 8. Se las 9. Les 10. Se los 11. Le 12. Se las 13. Les 14. Se los 15. Le 16. Se las **Práctica 3:** 1. Sí, se lo puedo llevar. / Sí, puedo llevárselo. 2. Sí, se lo puedo cocinar. / Sí, puedo cocinárselo. 3. Sí, se las cocino. / Sí, nos las cocino. 4. Sí, se lo preparo. 5. Sí, se lo llevo. 6. Sí, se los puedo preparar. / Sí, puedo preparárselos. Sí, te los puedo preparar. / Sí, puedo preparártelo. 7. Sí, se la puedo llevar. / Sí, puedo llevársela.

Síntesis y repaso Práctica 1: 1. la tienda de comestibles 2. la carnicería 3. la frutería 4. el supermercado 5. la pescadería **Práctica 2, PASO 1:** el aceite de oliva, la cebolla, las espinacas, los huevos, el jamón, la leche, la pimienta, el queso, la sal, el tocino **PASO 2.** 3, 4, 1, 2, 5 **Práctica 3:** 1. Les va a comprar jamón. 2. Va a comprar pescado para sus primos. 3. Va a ir a la tienda de comestibles para comprar verduras. 4. Va a comprar papas, tomates y pepinos. 5. Va a comprar dos sandías. **Práctica 4, PASO 2:** 1. las familias hispanas 2. casi 20 mil personas 3. el 70 por ciento 4. Los Ángeles, Nueva York, Miami, Chicago y Houston 5. Univisión 6. $10,000 en efectivo más un viaje

Pronunciación Práctica 3: 1. de nada 2. estudiante 3. un doctor trabajador 4. los cuñados divorciados 5. al lado del departamento

Tema II

Vocabulario del tema Práctica 1: 1. almuerzo 2. desayuno 3. cena 4. desayuno 5. cena **Práctica 2:** 1. C 2. F 3. C 4. C 5. C 6. C 7. C 8. F

Gramática 6.3 Práctica 1: 1. Cocinar 2. dejar, dejarlo 3. Cortar 4. Preparar 5. cortar, cortarlas 6. Cortar 7. Calentar 8. sofreír 9. retirar, retirarlos 10. Echar 11. Revolver, Revolverlo 12. agregar 13. Añadir 14. Servir **Práctica 2:** 1. Corten 2. Pongan 3. Denme 4. Preparen 5. Hiervan 6. Cocinen 7. Mezclen 8. Cubran **Práctica 3:** 1. estén 2. vayan 3. Estén 4. Den 5. vayan 6. sean 7. Sean 8. den **Práctica 5:** 1. f 2. b 3. a 4. h 5. e 6. g 7. c 8. d **Práctica 6:** 1. límpienla 2. arréglenlos 3. pónganla 4. no la coman 5. lávenselas 6. no se sienten 7. no la duerman 8. no se los den 9. sírvansela 10. tráiganselo

Gramática 6.4 Práctica 1: 1. a. 2. b. 3. c. 4. a. 5. c. 6. c. 7. b. 8. b. 9. c. 10. b **Práctica 2:** 1. pasaron 2. llegué 3. busqué 4. encontré 5. me senté 6. llegó 7. llamé 8. oyó 9. se sentó 10. habló 11. contó 12. dejó 13. vio 14. me levanté 15. llegaron 16. nos sentamos 17. pasamos

Síntesis y repaso Práctica 1: 1. F 2. F 3. C 4. C 5. F **Práctica 2:** 1. JORGE 2. ESTEBAN 3. ESTEBAN 4. AMANDA 5. JORGE 6. AMANDA **Práctica 3:** 1. en un restaurante cubano 2. ropa vieja 3. el platillo moros y cristianos 4. toda la familia 5. relajante **Práctica 4, PASO 2:** 1. C 2. F 3. F 4. F 5. F 6. C

CAPÍTULO 7

Tema I

Vocabulario del tema Práctica 1: 1. b 2. e 3. i 4. j 5. d 6. a 7. f 8. g 9. c 10. h **Práctica 2:** 1. MATERIAL 2. DISEÑO 3. TALLA 4. DISEÑO 5. DISEÑO 6. MATERIAL 7. DISEÑO 8. DISEÑO 9. TALLA 10. MATERIAL 11. TALLA 12. MATERIAL **Práctica 3:** 1. fui 2. Dimos 3. fuimos 4. buscamos 5. compramos 6. encontramos 7. Estuvimos 8. compré 9. Tuve 10. tuvimos 11. se puso 12. pudo **Práctica 4:** 1. tuve 2. quiso 3. quise 4. pudo 5. pudo 6. conocí **Práctica 5:** 1. fue 2. enseñó 3. se quedó 4. vendió 5. pudo 6. contribuyó 7. hizo 8. hizo 9. fue 10. pagaron 11. ganó 12. compró 13. hizo 14. vino 15. fue

Síntesis y repaso **Práctica 1:** un traje de baño verde, pantalones de última moda color gris, zapatos de tenis, una blusa negra de seda **Práctica 2:** 1. ropa de última moda para hombres, mujeres y niños 2. en la ropa para hombres 3. de lana 4. las corbatas 5. ciento cincuenta dólares / $150 **Práctica 3:** 1. F 2. F 3. F 4. C 5. C **Práctica 4, PASO 2:** 1. Santo Domingo 2. Madrid 3. la República Dominicana, España, Francia 4. para trabajar en la casa Elizabeth Arden 5. en 1967 6. el uniforme oficial de los Boy Scouts

Pronunciación **Práctica 2:** 1. generoso 2. junio 3. refrigerador 4. viejo 5. gimnasio **Práctica 4:** 1. los gatos gordos 2. me gusta el ajo 3. geografía y geometría 4. la hija juega en junio 5. unos guantes grandes 6. lechuga y guisantes

Tema II

Vocabulario del tema **Práctica 1:** 1. madera 2. diamante 3. arcilla 4. oro y plata 5. cuero **Práctica 2:** 1. el anillo 2. la juguetería 3. los guantes 4. el maquillaje 5. la cartera

Gramática 7.4 **Práctica 1:** 1. Se me olvidó 2. Se me cayó 3. Se me acabó 4. se me rompieron **Práctica 2:** 1. Se me cayeron los libros. 2. Se te olvidó el libro. 3. Se le rompió el espejo. 4. Se nos acabó la leche. 5. Se les acabó la gasolina. 6. Se les cayó la escultura.

Síntesis y repaso **Práctica 1:** 1. C 2. F 3. C 4. F 5. C **Práctica 2:** la floristería: unas flores; la zapatería: las botas; la joyería: un brazalete, un collar; la librería: unas novelas; la frutería: las fresas, las uvas **Práctica 3:** 1. el maquillaje 2. una escultura 3. unos guantes 4. un collar 5. una cartera **Práctica 4, PASO 2:** 1. 1550–1730 2. Gran Bretaña, Francia, España, Portugal, los Países Bajos 3. los españoles 4. oro, plata, esmeraldas, maderas exóticas, azúcar, especias, tabaco, sal 5. la Española

About the Authors

María J. Amores received her Licenciatura en Filología Hispánica from the Universidad de Sevilla and her Ph.D. in Spanish Applied Linguistics with a concentration in Second Language Acquisition from Pennsylvania State University. She is currently an Associate Professor of Spanish at West Virginia University, Morgantown, where she coordinates and supervises the Basic Spanish Program and teaches undergraduate and graduate courses in language, culture, methodology, and linguistics. Her research is oriented toward pedagogical issues related to the teaching of writing and to the professional development of graduate teaching assistants. Professor Amores has published various articles on these topics in *Dimension, The Northeast Conference on the Teaching of Foreign Languages Review,* and *Foreign Language Annals.* She has also conducted several in-service workshops at national institutions for language instructors at the public school (K-12) levels, and at international institutions for teachers of Spanish as a second language.

José Luis Suárez García received his Ph.D. from the University of Illinois at Urbana-Champaign in 1991. He is currently a Professor of Spanish and Graduate Coordinator at the Department of Foreign Languages and Literatures at Colorado State University in Fort Collins. He regularly teaches Spanish Golden Age and other courses on Peninsular Literature and Culture and has taught Spanish language at all levels. Professor Suárez has published several reviews, articles, and books on Spanish Golden Age literature and culture, medieval bibliography, poetic and dramatic theory, and contemporary theater. He has been a guest speaker at the prestigious Jornadas de Teatro Clásico in Almagro, the Jornadas de Teatro de Almería, and has been a Panelist for the Post-Performance Roundtable Discussions at the XX Festival del Siglo de Oro in El Paso, Texas. Some of his publications have appeared in *Criticón, Journal of Spanish Studies, La Corónica, Journal of Hispanic Philology, Anales de Literatura Española,* Editorial Castalia, Universidad de la Rioja, and Editorial Universidad de Granada.

Michael Morris received his Ph.D. in Foreign Language Education from the University of Iowa in 1997. He is currently an Associate Professor of Spanish and Foreign Language Education at Northern Illinois University, where he teaches courses in Spanish language and linguistics as well as language teaching methodologies. He also coordinates the first- and second-year Spanish program and oversees the foreign language teacher certification program. His research focuses on the analysis of foreign language teachers' beliefs regarding instruction and the relationship of these beliefs to their classroom practices, as well as foreign language classroom assessment. He has given many in-service presentations to elementary, secondary, and college level teachers at the local, state, and national levels as well as abroad. His work has appeared in *Foreign Language Annals, Hispania, The Modern Language Journal, The Journal of Graduate Teaching Assistant Development,* and the annual volume of the American Association of University Supervisors and Coordinators.